P9-CEJ-516

新版

男生日记

杨红樱 著

作家出版社

杨红樱官方网站
www.yanghongying.com
网站首页
home page
个人介绍
self-introduction
作品集
her works
最新动态
her latest activities
网上礼品
book
樱桃园
cherry garden
联系我们
3月
• 参加意大利博洛尼亚国际儿童书展，与哈珀•柯林斯
下载
营销总监
在英文版的“淘气包马小跳”的广告前合影。
• 被中共中央宣传部批准为全国宣传文化系统“四个一批”人才。
樱桃园
注册
登录

杨红樱网站开通啦！

作者杨红樱

《女生日记》出版后，接受中央电视台专题采访。

在成都购书中心参加《女生日记》的签书活动。

目录

由《女生日记》引发出来的

——我写《男生日记》

2000年，我的儿童长篇小说《女生日记》出版后，曾在中小学生中做过一个阅读调查，其中有这么两个有趣的问题：限男生回答：在这本书中，你最喜欢的女生是谁？限女生回答：在这本书中，你最喜欢的男生是谁？结果，限男生回答的问题，答案五花八门。有喜欢冉冬阳的，有喜欢梅小雅的，还有喜欢莫欣儿、沙丽和小魔女的。这是几个不同类型的女生，冉冬阳善良，梅小雅坚强，莫欣儿聪明，沙丽漂亮，小魔女调皮……可见，在男生的心目中，他们喜欢的女生，是不一样的。

而限女生回答的问题，答案却都出乎意料地整齐划一：在收回来的调查表中，100%的女生喜欢书中的男生吴缅。

《女生日记》中的吴缅，并不是一个循规蹈矩的好学生，我想他让所有的女生心动的原因，是他的身上具有作为一个男子汉的品质：有见解，有个性，有责任心，还有敢作敢为。

一些媒体在做《女生日记》的采访时，话题也多集中在吴缅身上，认为他是书中最出彩的一个人物角色。顺理成章会问到我有没有打算写一本《男生日记》。就这样，我要写《男生日记》的消息在一年前的一些媒体上就报道了。

《男生日记》整整写了一年。在这一年中，朋友见了会问道："你的《男生日记》写完没有？"也有小读者写信或打电话来询问：什么时候能读到《男生日记》？

现在，《男生日记》完稿了，我不知道让大家期待了这么久的书是不是值得一读？我有些诚惶诚恐。

6月23日　星期三　晴

本来打算今天一睡到底，好好补一补从一年级到六年级没睡够的瞌睡，可还不到早晨7点，电话铃就响了。

妈妈把无绳电话送到我的房间里。

“吴缅，你的电话。”

我以为不是精豆豆，就是古龙飞要约我出去玩，就把毛巾被拉上来，蒙住我的头：“你告诉他，我要睡觉！”

“是你爸的电话。”

老爸的电话是要接的。再说，现在我还不知道他在哪儿呢！老爸是搞摄影的，整日背着照相机和一堆长长短短的镜头，满世界乱转。

“嘿，老爸，你现在在哪儿呀？”

“我在拉萨，今天中午就飞回来。”

老爸是男低音，电话里连他的气声都听得十分清楚，根本不像在遥远的西藏，就像在我跟前说话一样，这使我突然地很想他。

“老爸……”

“儿子，咱们今天见个面，怎么样？”

“没问题。我到机场去接你。”

挂了电话，我一看，妈妈已不知什么时候走出了我的房间。每次我跟老爸通电话，她都会回避。

我打着哈欠，趿着拖鞋，“吧嗒，吧嗒”来到厨房里，妈妈正在煎鸡蛋。

“妈，我爸今天中午从拉萨回来，我想到机场去接他，你去不去？”

“我还是不去吧，你们两个男人在一起，一定有许多话要说。”

不知从什么时候起，妈妈总是称我和老爸为“两个男人”。她虽然和老爸离婚已经好几年了，但我从来没听她讲过老爸的一句坏话，老爸也没有在我的面前讲过

她一句坏话。在我的心目中，他们像一对好朋友。

“吴缅，你从来没有去机场接过人，要不要我打个电话，让你舅舅派辆车过来，送你去？”

“不用。”我说，“我乘民航班车去。”

老爸乘坐的航班在中午11：40抵达。10点钟，我来到时代广场旁的民航售票大厅，乘上了去机场的班车。

车塞得厉害，几乎是走几米就得停下来。街上不知哪来这么多人，像我这样大的孩子特别多，大概是因为昨天把试考完了，今天都涌到街上来了。

排着长龙的汽车如铁爬虫一般，在繁华的市区慢慢地爬行。眼看快11点了，老爸乘坐的班机马上就要到了，可我还在半路上。我急了，车上有几个要赶着上飞机的人也急了。

“别着急！”司机是个剃着光头的小伙子，他一点儿也不急，“再熬一会儿，只要一上高速路，等于就到了。”

汽车好容易上了通往机场的高速路，路上畅通无阻。正如那位光头司机说的那样，一阵风似的就到了机场。

一下汽车，我直奔乘客出港处。

“丁东！”随着清脆的铃声，听到播音员甜美的声音：“从拉萨飞来的4375次航班已到达本港……”

来得早，不如来得巧。

我挤在迎客的人群中，使劲地睁大眼睛，生怕老爸就在我眨眼的那一瞬间，从我的眼皮子底下溜走了。

一阵羊膻味儿扑面而来，老爸混在一群剽悍的藏族汉子中出来了。他的头发长得已垂到了肩膀上，胡子也好久没有刮了，方方的脸膛又红又黑，一看就知道被高原紫外线烤的。他背着一个已经看不出颜色的羊皮行囊，肩上挎一个像炸药包似的摄影包，脚蹬一双大头皮鞋，大有“好男儿走四方”的英雄气概。

“老爸！”

“儿子！”

老爸大步跑过来，我扑上去一跳，双脚离地，吊在

了老爸的脖子上。

刚才，还有许多话想对老爸说，见了面却一句话也说不出来，只觉得肚子饿。

“老爸，我肚子饿了。”

老爸咧嘴一笑，露出雪白的牙齿：“好，咱们去吃西部烧烤。”

出租车一直把我们载到西部烧烤城。这里是自助餐，老爸放下行囊和摄影包，就去取了一大盘肥牛肉来。

老爸夹起一片有巴掌大、红白相间的肥牛肉，放进油煎锅里。

“到这里来，要吃就吃肥牛肉。”

老爸一边说，一边往自己的杯子里倒啤酒。

“怎么样？你也来一点儿？”

我犹豫了一下，还是点了点头。

老爸往我的杯子里倒了半杯啤酒，翻滚的白沫已漫出了杯沿，我赶紧去吸了一口。

老爸又咧嘴一笑，他举起杯：“来，儿子，我祝贺你！”

“别祝贺我。”我说，“昨天刚考完，还不知道考得怎么样呢！”

“今天，咱们不说考试的事儿，我祝贺你小学毕业！”

这还差不多。

我举起杯，跟老爸碰了一下，看老爸一仰头把杯中的酒一饮而尽，然后向我亮亮杯底，我也一仰头把杯中的酒一饮而尽，然后向老爸亮亮杯底。老爸伸过手来，用力地在我的肩膀上拍了一下："好样的！"

老爸又往他的杯中倒满啤酒，却唤来服务生，给我要了一听可口可乐。他点燃一枝烟，美滋滋地看着我大口地吃着滋滋冒油的肥牛肉。

"好，男子汉就要大口吃肉！"

"老爸，你这次从西藏回来，还去不去？"我嘴里的肥牛肉没来得及咽下去，话说得含含糊糊的。

"还去，西藏真是个好地方，可拍的东西太多了。"老爸坐直了身子，两只眼睛直直地盯着我的两只眼睛，好像要跟我谈一件什么重要的事情。

"儿子，我这次回来，全是为了你，你不是想去西藏吗？"

"知我者，老爸也。"我迫不及待地问，"我们什么时候动身？"

"现在有两个进藏的方案，完全由你来抉择。"老爸的表情很严肃，"第一个方案非常简单，我们乘飞机不到3个小时就可以飞到西藏；第二个方案，我们跟部队的军车走，大约需要一星期左右才能到达西藏。在路途中，也许要经历许多惊险故事。"

一听说有历险故事，我想都不用想就选择了第二个方案。

“我们跟军车走。”

“吴缅！”

这次老爸没有叫“儿子”，而是叫我的名字，就像两个男子汉，面对面地在谈一件重要的事情。

“吴缅，你要想好，跟军车进藏，一路上困难重重，甚至还有生命危险……”

“我不用想了，就跟军车走。”

我决定了的事情，是很难再改变的。

“这样吧，吴缅！”老爸站起身来，饮干杯中的酒，“你回去跟妈妈商量商量，最好听听她的意见。”

从西部烧烤城出来，已经是下午两点钟了。老爸把我送到我和妈妈住的楼下。临分手时，他从行囊里掏出一条藏族女人穿的横格围裙。

“这个给你妈，她喜欢收集民族服装。”

我接过围裙，抖开一看：“妈妈一定会喜欢的。你干吗不亲自送给她？”

老爸脸上闪过一丝不自然的笑：“挺忙的，就由你代劳吧！”

回到家里，就给妈妈打电话：“妈妈，下午早点回家，我有一件重要的事要和你商量，还有一个特别的惊喜给你。”

不到5点钟，妈妈就急匆匆地赶回来了。她一进门就打开冰箱找冷饮喝。我把晾得温热的鲜榨豆汁端给她喝，这是我特意为她准备的。

“妈妈，我要跟爸爸去西藏。”

“好啊！”妈妈喝下一大口豆汁，“西藏是个好地方，你们乘哪一天的飞机走？”

“我们不乘飞机，我们跟军车走。”

“走川藏线？”妈妈盯着我的眼睛，问道，“这一定是他的主意吧？你爸这一辈子都在冒险。”

我说：“是我自己的主意。”

“你爸给你讲过这一路十分危险吗？”

“讲过。”我说，“老爸给了我两个方案让我选择，也可以乘飞机。跟军车走川藏线是我的选择。”

妈妈不说话，默默地、一小口一小口地啜着豆汁。直到把那一大杯豆汁喝完，才轻轻地说道：“既然是你自己的选择，我就尊重你的选择吧。”

“妈妈万岁！”

“理解万岁！”

我振臂欢呼两次。

妈妈笑了，向我伸手：“你不是还有特别的惊喜给我吗？”

“不是我给你的，是我老爸给你的。”我把那条藏族围裙拿出来，“怎么样？”

“噢！”

妈妈一声惊叫，两眼闪闪发光。

“这是手工羊毛毡做的。瞧这颜色搭配得多么妙呀！只有天才艺术家才能配出这么好的效果。”

妈妈又在墙上钉铁钉。我们家的墙上，挂满了她从全国各地收集来的民族服装，有维吾尔族姑娘穿的小背心；彝族姑娘穿的百褶裙；傣族姑娘穿的长筒裙……

妈妈一边往墙上挂藏族围裙，一边说：“你爸的艺术感觉真是没说的，你看他选的这条围裙，多有品位啊……”

我说：“老爸这么好，你为什么要跟他离婚呢？”

妈妈一点不回避我的这个问题。

“我跟你爸只能做朋友，不能做夫妻。以前在一起的时候，老是吵吵闹闹的。现在分开了，反而和和气气的，你说不好吗？”

我能说不好吗？

只要他俩觉得好，就好。

压缩饼干

6月24日 星期四 阴间多云

昨晚一直给老爸打电话，却没人接。打他的手机，关机。老爸一定是在暗房捣鼓他的那些宝贝照片。只要一进暗房，他就会把手机关掉，任何电话也不接。

中午快到12点了，又打了一个电话过去，老爸终于接电话了，他说昨晚在暗房里熬了一个通宵，现在刚从暗房里出来，准备吃点东西再进去。

“老爸，我妈同意我跟军车进西藏了！”

“太棒了！”

“老爸，我们什么时候出发？”

“26号吧。”老爸的声音很疲惫，“26号有几辆军车进去，今天，你得去准备一些干粮。”

我以为“干粮”就是“面包”。

“老爸，肉松面包怎么样？”

“面包不行。”老爸说，“面包吃了不禁饿，再说面包存放的时间不能超过三天。我们需要的是‘压缩饼干’。”

我不知道什么叫“压缩饼干”，也从来没有见过“压缩饼干”，更不知道什么地方有卖“压缩饼干”的。

我骑上自行车，去了全市最大的购物中心“家乐福”。在放满各种饼干的货架前，翻来覆去地找了半天，也没有找到“压缩饼干”。问服务员，服务员一脸的茫然。

“‘压缩饼干’？现在谁还吃那个。”她从货架上扒拉几盒包装漂亮的饼干，“你看看这几种饼干，都是新产品。”

那些饼干拿在手里轻飘飘，都是些薄而脆的膨化食品。用老爸的话说，吃了不禁饿的。

从“家乐福”出来，我又骑上自行车去了货物品种最多的“好又多”超市，这里也没有“压缩饼干”。看看已经下午两点半了，我还没有吃午饭。我倒不要紧，妈妈的两个小宝贝“贝多芬”和“梦露”可要紧，我得赶回家去喂它们的肚皮。

钥匙刚插进锁孔，就听“梦露”一声哀怨的叫声“噢喵——”。一进门，“梦露”就扑在我的身上；“贝多芬”则站在卫生间门口，对我怒目而视，发出愤怒的吼叫。

“汪！汪！汪！”

它们肚子饿了。“梦露”是一只猫，“贝多芬”是一只狗，还有厨房瓦钵里养的一只乌龟，都是妈妈的宝贝。她在一家少年儿童出版社当美术编辑，儿童书的封面、插图经常会出现一些小动物的画面，所以妈妈特别喜欢小动物。

我从冰箱里取出一块煮熟的猪肝，切成小丁，拌在米饭里煮煮，猫食有了，狗食也有了，又给自己泡了一包方便面。

吃着方便面，脑子里还在想：到哪儿去买压缩饼干呢?

想打电话问老爸，不行，这时候他肯定在暗房里。还是打电话问鲁肥肥吧，边边角角的事情他知道得不少。

“肥肥，哪里可以买到压缩饼干？”

“压缩饼干？问168信息台呀！”

原来这小子知道的那些边边角角的事情都是花钱从信息台得来的。

拨了168台，知道在“旅游专卖店”能买到压缩饼干。

旅游专卖店在城北郊的动物园旁，骑车去至少要一个半小时，但还得去呀！

顶着烈日，汗流浃背地骑到动物园，这是我小时候常来的地方。小时候觉得好远好远，还在这里走丢过，吓得哇哇大哭。现在我能一个人骑车到这里来，真的是长大了。

旅游专卖店果然有压缩饼干，一方块一方块的，用银色的隔离纸包装起来，沉甸甸地像银锭。

我买了一提包，起码有5公斤重。

买到了去川藏路上吃的粮食，心里踏实多了。夕阳西下，有一阵阵的凉风吹来，我蹬着自行车飞快地往回走。

“贝多芬”和“梦露”

6月25日 星期五 阴有小雨

明天就要出发了，妈妈也要外出几天，参加全国少年儿童出版社每年一度的美术编辑年会。我走了妈妈也走了，“贝多芬”和“梦露”怎么办？哦，“贝多芬”是一条狗，经常有一撮长长的毛发从脑门儿上耷下来，一昂头，又把这撮毛发甩上去，妈妈说这个动作像富有激情的音乐家贝多芬。“梦露”是一只漂亮的猫，妈妈说它像

好莱坞的大美女梦露。

我开始想，把“贝多芬”和“梦露”寄养到谁家去好呢？首先想到的是我最好的朋友鲁肥肥。不过，这家伙自从那天考完试和我分手后，便像隐身人似的消失了，连个电话都没有，肯定在家里不是上网就是睡觉。这家伙睡起觉来雷打不醒，上起网来天垮下来也不关他的事。不行，我妈的这两个心肝宝贝怎么能托付给这种既是网虫又是瞌睡虫的人呢？“贝多芬”和“梦露”非被他活活饿死不可。

接下来想到的是我的狐朋狗友古龙飞和精豆豆。这两个家伙，不是网虫，也不是瞌睡虫，但他们都太会玩了，能玩出各种各样的花样来。“贝多芬”和“梦露”到了他们手里，不被他们活活地玩死才怪呢。

看来，我这几个朋友是不能指望的了。再想想我的亲戚吧。除了爸妈，爸爸的老家在外地，兄弟姐妹也都不在这个城市。外婆的年纪大了，家里养着一只老猫，不能再给他们增添麻烦了。舅舅忙着做生意，家里跟宾馆一样，只是晚上回来睡睡觉，人都照顾不过来，哪还有闲工夫来照顾猫猫狗狗？姨妈家倒是挺理想的，比我小一个月的表妹姚诗琪跟我一样，毕业考试过后，现在闲在家里没事儿，只是她这人的脾气喜怒无常，让人捉摸不透。

管他呢，我还是先打个电话，试试看。

“表妹——”

我对姚诗琪从来都是直呼其名，今天有求于她，嘴上得抹点蜜。

“表哥呀，你又有什么阴谋诡计？”

姚诗琪在电话那头阴阳怪气，她从来也不叫我表哥的。

我把要求她的事，低声下气地对她讲了一通。还没听我把话讲完，姚诗琪就在电话那头尖叫起来。

“快别在我面前提起你们家的‘贝多芬’和‘梦露’，我只要一想到它们，浑身就起鸡皮疙瘩。每次到

“贝多芬”和“梦露”

你们家，那个‘贝多芬’都对我打喷嚏。‘梦露’更讨厌，老是用敌视的目光瞪着我，眼睛还闪着绿光……”

“姚诗琪！”我忍无可忍，大喝一声，“你怎么这么多废话？一句话，你到底帮不帮我？”

“就算我不帮你，也有人帮你呀！”姚诗琪酸溜溜的，“你怎么不找冉冬阳帮你呢？”

奇怪！姚诗琪不认识冉冬阳，她怎么会知道冉冬阳呢？懒得去想那么多，姚诗琪倒是提醒了我，我怎么一开始就没想到冉冬阳呢？

我马上给冉冬阳打电话。冉冬阳也在电话那头惊叫起来，我以为她的身上起了鸡皮疙瘩。

“我太高兴了！我就是想把你们家的‘贝多芬’和‘梦露’借来养养……”

我也太高兴了！我终于把“贝多芬”和“梦露”寄养到了一户可靠的人家。对冉冬阳，我一百个放心，一万个放心。

“可是……”

我一听到冉冬阳的这个转折词，心里就紧张起来，我以为她变卦了。

“我们得有个交换条件，我在集邮戳，你坐汽车到西藏，每到一个地方你就给我寄一张明信片，那多有意思啊！”

真够麻烦的，女孩子就是事儿多。但想想“贝多芬”和“梦露”能在一个可靠的地方度过一段时间，我爽快地答应了冉冬阳的“交换条件”。

开军车的帅哥

6月26日　星期六　晴

一夜兴奋难已，几乎半夜才入睡。跟老爸约好今天凌晨5点，他在楼下等我。

墙上的挂钟“当当”地敲了5下，我从床上一跃而起，跑到阳台上。在黑夜中，看见一束强烈的光柱从远处射来，接着是一阵由远而近的摩托车轰鸣声，那是老爸骑着他的本田125来了。

我背上背着，脖子上挂着，手上提

着几个大包小包，冲下楼去。

老爸把头盔扔给我：“儿子，上车！”

我戴上头盔，跨上摩托车的后座。老爸一踩油门，摩托车如箭一般，射了出去。

我双手抱紧老爸的腰，把头靠在他宽阔的背上。穿过大街、小巷，上环城路的立交桥，下桥便是一个有士兵站岗的大院，老爸说军需站到了。

有十几辆军车停在那里，黑黝黝的像十几座小山。车上已装满了东西，车篷捂得严严实实的，车篷上都拉着绿色的伪装网。

“嗨，吴大师！”

从一个亮着灯光的屋子里走出一个高个子的年轻人，留着像日本青春偶像木村拓哉那样的中长发，特有型，那“酷劲儿”也跟木村像极了。我以为他也是老爸那个圈子里的人，不是画家就是摄影家。

“来，你们俩认识认识。”老爸把我拉到那个人的跟前，“这是我儿子吴缅。这是给你讲过的刘帅。”

他就是刘帅？一个汽车兵，川藏线上响当当的人物。

老爸让我上了刘帅的车，他自己上了另一辆车。

出发了。十几辆军车从军需大院开出来，上了立交桥，向雅安方向驶去。

一路畅通无阻。我明白了我们的车队为什么要这么早出发。如果等天亮了再走，这十几辆军车别想开出城去。

刘帅一直没跟我讲话，他的眼睛十分专注地盯着前方，仿佛他身边没有我这个人似的。我怎么也不能把他和老爸给我讲的那个英雄似的人物刘帅联系到一块儿。除了世界上那几个艺术大师，老爸谁也不崇拜。可是当他讲到川藏线上的汽车兵刘帅时，两眼闪闪发光，几乎到了崇拜的地步。上次，老爸进藏，就是搭的刘帅的车。川藏线上有许多危险的路段，有一个地方遇到了泥石流大塌方，路面下陷，成串的车队被堵在这里。一面是悬崖峭壁，一面是万丈深渊。被堵的车队越来越多。开军车的汽车兵们抬来一根根圆木，搭在下陷的路面上，载满货物的车要从这个悬空搭起的圆木上开过去。一旦木头承不住这车的重量，连人带车——后果不堪设想。排在头里的那辆军车，司机是个刚开车的新兵，刘帅把他从驾驶室里拉下来，他把车开了过去。接着，他一辆一辆地把他们这个车队的车都开了过去。整个过程，老爸都在现场，还拍下了许多珍贵的照片。有一幅叫“军魂”的摄影作品，就是他拍的刘帅冒着生命危险，开着最后一辆军车，驶过即将断裂的圆木的特写镜头。

“帅哥！”我很想跟他找点话说，“你……雅安快到了吗？”

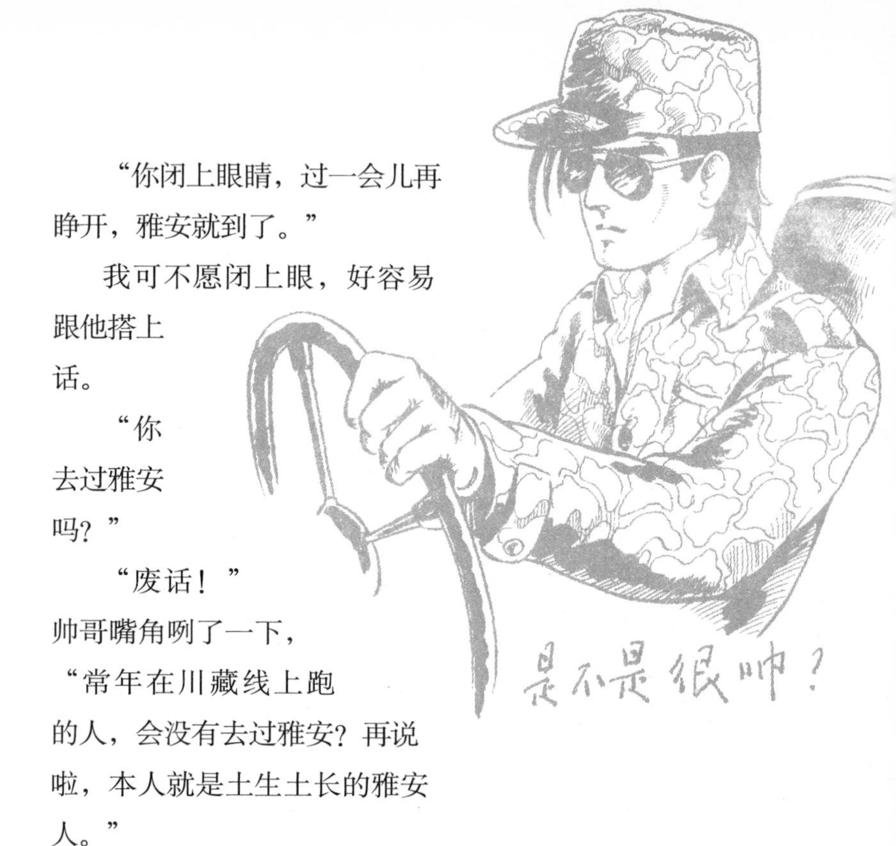

“你闭上眼睛，过一会儿再睁开，雅安就到了。”

我可不愿闭上眼，好容易跟他搭上话。

“你去过雅安吗？”

“废话！”帅哥嘴角咧了一下，“常年在川藏线上跑的人，会没有去过雅安？再说啦，本人就是土生土长的雅安人。”

我很高兴我已经跟帅哥聊上了，便巴结道：“呆会儿到了雅安，你就可以回家了。”

“什么话！”

帅哥笑了，而且还瞟了我一眼：“你以为我开着车在兜风，想回家就回家啊？告诉你吧，我经常开着车从我家门前经过，可是当兵三年了，我才回过两次家。”

帅哥的“话匣子”终于打开了，我知道帅哥的爷爷也是位解放军战士，在修筑川藏线的二郎山公路时牺牲了；帅哥的爸爸是部队汽车连的连长，有一次开车翻越

二郎山时，在一条狭窄的山道上，迎面开来一辆军车。错车错不开，为了给一个刚入伍不久的汽车新兵让路，竟把车向悬崖开去……

讲到这里，帅哥又不说话了。

雅安到了，这是一座秀丽的小城。

汽车开在雅江大桥上，帅哥把车速减慢了。他把头转向我这边的窗口，冷峻的目光柔和了许多。

“看见江边那幢红房子没有？那就是我的家。”

那幢红房子已经很旧了，窗口上却挂着鲜艳的窗帘。红房子旁边有很大的一棵银杏树，树下摆着几把小竹椅。帅哥说，他妈妈经常坐在竹椅上做针线活儿。

天快黑的时候，我们的车队开进设在一座小县城的702号兵站，这里已停放了许多军车，军人们三三两两地在一块儿抽烟、聊天。

当帅哥从驾驶室里出来时，军人们都欢呼起来。看来，帅哥是个到处受欢迎的人。

晚饭是在兵站的食堂里吃的。一张方桌，4条木长凳8个人一桌，三菜一汤，都盛在大瓷盆里。帅哥给了我一个比我脑袋还大的绿色瓷碗盛饭，我看见食堂里所有的人都用这样的碗盛饭。

吃饭的时候，听不见有人说话，军人们吃饭速度迅猛，就像要去行军打仗似的。

吃完饭后，军人们一起动手，把饭桌长凳往墙边搬。原来他们要唱卡拉OK，我这才发现在食堂的一个角落里，放着一台25英寸的彩色电视机，旁边还有一台VCD影碟机。

我和老爸找了一个条凳坐下来。

军人们一个个兴奋得脸膛放光。有的在调试电视，有的在试音响，有的在挑碟片……我没想到这些整日在深山里跑的军人们居然对这些时尚的玩意儿如此熟悉。

他们挑了一盘最新流行的歌碟放，第一首歌是张信哲的《爱就一个字》，那是动画片《宝莲灯》里的一首插曲。军人们都喊："刘帅上！刘帅上！"

帅哥大大方方地上了，拿起话筒就唱，他唱得很投入，很动情，可惜音响效果实在太差，一直有"嗞嗞嗞"的电流声。

歌一首接着一首地放，军人们一个接着一个地上去唱，放的每一首歌他们几乎都会唱，就连一个看起来土头土脑的士兵，也像模像样地唱了一首陈晓东的《风一样的男子》。

"现代军人，不一样就是不一样。"

老爸感慨万千。

因为明天一早还要赶路，快到9点的时候，全体军人，我和老爸也加入了进去，一起合唱了一首《真心英雄》，就回房间睡觉去了。

穿越二郎山

6月27日　星期日　晴

天不亮就出发了。

漆黑一片，长长的车队在一个巨大的锅底里爬行，除了车队前照亮的一段路，什么都看不见。

车窗外，一点一点地变白了。连绵起伏的群山被笼罩在浓雾之中，叠合成一幅淡雅的水墨画。

帅哥说，今天要过二郎山。

我想起牺牲在二郎山的帅哥的爷爷

和帅哥的爸爸，心中有些悲壮。

我问帅哥，二郎山有多高?

帅哥用一首歌来回答我："二呀么二郎山，高呀么高万丈……"

二郎山高万丈，到底是多高呀?

"四千多米。"帅哥正儿八经地告诉我，"是川藏线的第一座险峰。"

太阳从云海里露出脸来，射出万道金光。云雾缭绕之间，已能隐约看见缠在二郎山上的盘山公路。

我的运气真好，二郎山隧道前两天才通车，所以我们不再翻越二郎山，而是穿越二郎山。

二郎山隧道没通车前，汽车要翻越30多公里的盘山公路，至少需要3个小时，现在只需15分钟，汽车就从8.66公里的隧道里开了出来。刺目的阳光射进车窗，几乎让我睁不开眼。帅哥戴上墨镜，我没有墨镜，只好戴上了一顶棒球帽，把帽檐压得低低的。

真的很奇怪，隧道那边完全是盆地气候，雾气霭霭。一过隧道，这边阳光灿烂，天空蓝得透明，空气里能闻到冰雪的味道，是真正的高原气候。

大渡河滚滚而下，一道铁索桥横跨在大渡河上。帅哥说，那是著名的泸定桥。

汽车停下来加水，已有一辆双层卧铺中巴车停在那里。一群戴着美术学院校徽的大学生们都带着相机，相

机的镜头对准远处的一座雪峰。

“那是贡嘎山。”帅哥一边说，一边帮我打开车门，“‘贡’是冰雪的意思，‘嘎’是白色的意思。贡嘎山是大雪山的主峰。”

帅哥忙着为汽车加水，我却跳到一块大石头上，眺望远处的贡嘎山。

这时，老爸拿着他的相机过来了。可是，他的镜头并不是对准贡嘎山，而是对准帅哥猛拍起来。

“哇，好帅的兵哥哥！”

突然听到一阵惊呼，几个美院的女生呼啦啦地跑过来，团团地围住帅哥。有一个头发剪得很短的女孩干脆唱起来："迷死个人呀兵哥哥……"

身穿迷彩服、戴着墨镜的帅哥真的很酷，把这群学美术的新潮女生都迷住了。他旁若无人，给汽车加完水后，又拖着水管给车轮浇水。我一边帮他拖水管，一边悄声问道："帅哥，你是不是走到哪里，女孩子们都很喜欢你？"

"不知道。"帅哥笑了一下，笑得有些无奈，"我只知道我喜欢的那个女孩子，她却不喜欢我。"

"为什么不喜欢你？"

"她不喜欢我长年累月地在川藏线上跑，她说太辛苦，也太危险。"

"她漂亮吗？"

"反正在我的心目中，她是最美丽、最可爱的女孩。"

说到这个女孩，帅哥的话不但温柔，连脸上冷峻的线条也温柔起来。

一路上，帅哥都在说那个女孩，不知不觉，我们的车队已到达康定的兵站。

这时，天已经黑了，只见一个三山之间的河谷地有星星点点的灯火，帅哥说那就是康定城。

"听过那首著名的《康定情歌》吗？"

怎么会不知道《康定情歌》，这是妈妈最喜欢唱的

一首歌：

跑马溜溜的山上，
一朵溜溜的云哟，
端端溜溜地照在，
康定溜溜的城哟。
月亮弯弯，
康定溜溜的城哟……

给冉冬阳的明信片

冉冬阳：

我们的车队今天过二郎山。早就听老爸讲过，川藏线上，二郎山的路是最险峻的，帅哥的爷爷和爸爸都是老汽车兵，他们都光荣地牺牲在二郎山上。我的运气真好，就在前几天，二郎山隧道通车了，这是海拔最高、最长的一条隧道，有8.66公里长，不到半小时就穿越了二郎山。然而，它的意义不仅仅在于缩短了进藏的路程，更重要的是，行进在川藏线上的人们远离了死亡和险象环生的困境。

今晚到达康定，就是《康定情歌》中唱的康定，明天一早要到跑马山上去。

不知“贝多芬”和“梦露”怎么样了？你一定要把猪肝煮熟了喂它们，不然它们会拉肚子的。

吴缅于康定兵站

康定情歌

6月28日 星期一 晴

昨晚，老爸和当地的一位藏族歌手强巴电话联系上后，马上决定不再往前进西藏，他要留在这里拍康巴藏区的民情风光。唉，这就是艺术家，随时都会有灵感产生，所以随时都可能有变化。

在兵站吃过早饭，我们就和帅哥告别了，虽然只和帅哥相处了两天，可我俩已经成了最铁最铁的哥们儿。男儿有

泪不轻弹，在我和帅哥紧紧拥抱的那一时刻，我的眼泪还是止不住地流了下来。

帅哥说："我们还会见面的。"

我说："我们肯定会见面的。"

我在帅哥的手掌上，写下了我家的电话号码。

刚挥手送走长长的车队，一辆白色的三菱越野车"嘎吱"一声停在我们面前，从车上下来一位头戴毡帽、身穿方格衬衫、外扎牛仔裤、足蹬长靴的高大汉子来，如果他的腰上再别上一把左轮手枪，活脱就是美国西部片中的西部牛仔。

"嘿，强巴！"老爸和强巴像老朋友一样拥抱后，向我介绍道，"这是著名的藏族歌手强巴。"

"嘿，小伙子，你好！"

强巴也像老朋友那样拍了拍我的肩膀。他的汉话说得挺好："想到什么地方去玩？"

"跑马山。"我特别强调，"就是《康定情歌》中唱的那个跑马山。"

我和老爸坐上强巴的越野车，向跑马山上驶去。

有一条新修的公路直通跑马山上，路边的石坎坎上，凹凸着放射状的石脉，像菊花，也像焰火，强巴说，这种石头叫"烟花石"。

"其实，到跑马山上来看什么，就是看石头。"强巴说，"我们这里有句俗语：康定人吃饱了就爱看个石头景儿。”

我说：“我还以为到跑马山上来，是看跑马呢！”

强巴给我们讲起“跑马山”这个名字的来历。以前

不叫跑马山，藏名叫“登托拉”(意思是像马甸子一样的山峦)。每年藏历的五月十三，定期在这里举行赛马会，一二三名挂红，献哈达赠茶，后来人们就把“登托拉”叫“跑马山”。

“我先带你们去看看微缩跑马山。”

强巴把三菱越野车停在凌云塔的后面，那里有一块整体的石堆。强巴说，跑马山什么样子，这石堆就生成什么样，仔细地瞧，这块天然的石堆，还真像是能工巧匠精心雕刻出的一个微缩景观呢!

强巴又把我们带到跑马山南麓去看“格桑花开”。这石头就更奇了。“花”开在山脊上，由8块深入地下的浑石均匀布开，翘起有棱的石尖像怒放的花瓣一样舒展，新修的公路从花蕊穿过。

强巴非常遗憾地告诉我们：“从前老路是绕着‘格桑花开’边上走的，花蕊是两蓬青草，春夏秋冬，四季常青，8块石头团成的石窝如睡莲盛开。”

观音阁尽头的岩端，藏着一只比羊还大的白石兔，长长的两只耳朵让人觉得伸手便可以捉到。我攀住石壁，好容易爬了上去，可是石兔不见了。

强巴向我大声喊：“快下来吧，小伙子，石兔跑了！”

我爬下来，站在下面往上看，白石兔还在那里呀！难道它在和我捉迷藏?

从跑马山上下来，沿着汹涌澎湃的折多河，来到一座石拱桥。强巴把车停下来，我们一边向桥上走去，一边听强巴讲公主桥的传说：公元七世纪唐王朝李世民将文成公主下嫁给吐蕃藏王松赞干布。康定的藏族人民听说文成公主即将来到这里，跨折多河，越折多山，进藏去与藏王订婚，于是奔走相告，建造了这座石拱桥。不知文成公主是不是从这座桥上经过，康定人一直叫这座桥为“公主桥”。

已是中午时分，太阳火辣辣地照在头顶上，桥头有卖驼色大檐礼帽的，强巴去买了两顶来，一顶扣在老爸的头上，一顶扣在我的头上，活脱出一对西部牛仔的父与子来。

午饭是在“张大哥饭店”吃的。因为传播四方的《康定情歌》有歌词“李家溜溜的大姐，人才溜溜的好哟，张家溜溜的大哥，看上溜溜的她哟……”所以，康定城中许多饭馆的名，不是叫“张大哥”，就是叫“李大姐”。

把我们拉进这家饭馆的老板，是个胡子拉碴的瘦小男人，他说他才是真资格的“张大哥”。

老爸笑问：“李大姐呢？”

“张大哥”朝烟雾缭绕的厨房努努嘴，我们看见一个肥胖的影子在那里晃动，于是都大笑起来。

“你们不忙笑！”“张大哥”十分幽默，“别看她

现在这个样子，回转去20年，你们的眼珠子都会呆住了。”

“哦？”老爸和强巴故做惊讶状，“你是不是说来吓我们的？”

“说的不是吹的，真资格的李大姐，不信你们这顿饭就别给钱。”

“好好好，我们信。”

我们的肚子都饿了，叫“张大哥”快开饭。

“来嘞——”

随着脆生生的一声吆喝，“李大姐”闪亮登场，她胖虽然胖点，却是慈眉善目，给人好感。

“李大姐”把菜一样一样往桌上端。端一样，她介绍一样。

“这个是白油牛肝菌，有营养；这个是松茸烧鸡，有营养；这个是老南瓜汤，有营养……”

“你个只会说有营养？”“张大哥”把“李大姐”拉到一边，“这些都是我们这里的特色菜，听我来介绍。”

“张大哥”叽里呱啦地说起来，不知是菜的味道真正是好，还是我的肚子实在是饿了，我只顾吃，“张大哥”说的什么，一句话也没听进去。

从“张大哥饭店”出来，我们又拐进一家“李大姐牛肉干专卖店”。店老板真的是个女的，还很年轻，打扮得十分新潮，穿牛仔短衣，配一条瘦瘦的牛仔长裤。

我问道："到底哪个是真资格的'李大姐'？"

"我是真资格的'李大姐'。"年轻的女老板向我扔过来一盒包装精美的牛肉干，"你看这上面的商标，注了册的哦！"

我看盒子上的商标，果然写着"李大姐牛肉干"几个字，就买了几盒，带回去送人。一边唱着《康定情歌》，一边嚼着"李大姐牛肉干"，味道肯定不一般。

康定城不大，只有几条街，街上人来人往。老爸感叹道，这街是流动着色彩的街。因为街上的人，大都穿着色彩鲜艳、式样复杂的藏装。我仔细观察过，街上漂亮的男男女女，他们头上的变化特别多。先说男的吧，有披肩长发、自然式卷发、普通式短发，还有剃成光头的。英雄结式盘发是康巴男子独有的发型，用黑色丝线或牛毛与头发编成一条长长的发辫，辫梢扎上红色丝线，向左盘在头上，把红丝穗垂在额边。康巴男人的帽子也有很多种，有最常见的大檐礼帽；有俗称"金盏窝"的圆盔朵帽；有用猞猁、狐皮、羔皮制成的各式大翻檐圆帽；有用羊毛毡制成的各式红缨毡帽；有用白、红、蓝等平布制成的撮箕形凉帽、笠形凉帽。女的戴头帕的很多，也有梳独辫子或把辫子盘在头上的。在街上，我看见一位十五六岁的藏族少女，她那黑得发亮的头发，梳成许多细密的小辫儿，披在肩后，在腰间用彩

色的丝线束成一把，扎在宽宽的腰带里。这是我见过的最美的发型。我不知不觉地跟着这个美丽的少女走，强巴一把把我抓了回来。

“这小子，小小年纪就……”

“小小年纪怎么啦？”我一点都不难为情，“小小年纪一样的有爱美之心。再说啦，我也不是太小。”

我和强巴已经混得很熟了，他时常会跟我开点小小的玩笑。

晚上，去歌厅听强巴唱歌。强巴是康定最大的腕儿。每天，他的歌迷们都来这家歌厅听他唱歌。

强巴挎着一把吉他在台上边弹边唱，他唱的几乎全是抒情的歌，唱得是那样的深情，那样的迷醉，那样的令人感动，使我想到了我喜欢的腾格尔。强巴唱得一点不比腾格尔差，他们都属于那种用心去歌唱的歌手。

我看见老爸握着一杯葡萄酒，半天没喝一口，他已经沉醉在强巴的歌声里。

给冉冬阳的明信片

冉冬阳：

今天我去了跑马山，还去了公主桥，还认识了一个叫强巴的藏族歌手。他的歌唱得很棒，人也长得特有型，打扮得像美国电影里的西部牛仔。

都是因为那首《康定情歌》，康定许多店铺

上都打着“张大哥”“李大姐”的招牌。我买了“李大姐牛肉干”，如果你把“贝多芬”和“梦露”照顾得好好的，我会送你一盒作为奖赏。

吴缅于康定强巴家

菩萨喜欢的地方

6月29日　星期二　晴

今天的目的地是塔公。“塔公”是藏语的译音，意思是菩萨喜欢的地方，那里有一座大寺庙和美丽的草原，老爸的主要拍摄活动将在这里进行。

康定到塔公大约有三百多公里，是强巴开着他的“三菱”越野车送我们去的。我一个劲地问他：“塔公为什么是菩萨喜欢的地方？”

“知道唐朝文成公主嫁给藏王松赞干布那段历史吧？”强巴的汉话说得挺不错，“文成公主进藏的时候，带着一尊释迦牟尼12岁全身塑像，放在一辆4匹马拉的马车上。当经过塔公时，4匹马怎么也拉不动这载着佛像的车。换作人抬，10个大汉来抬这尊佛像，还是抬不起。一位送亲的大臣点燃香烛，跪地求卦，才知道是菩萨喜欢这个地方。公主与送亲、迎亲的官员商量后，决定仿照原像另塑了一尊大佛留在这个地方，才把原像运到了西藏拉萨的大昭寺里。在信徒们的眼睛里，这里的佛和拉萨的佛是一样的，拜了塔公的佛，等于拜了拉萨的佛；到了塔公，等于到了拉萨。”

在路上，见得最多的是迎风招展的经幡和一路磕着长头的信徒。

强巴说：“他们就这样一直磕到塔公。”

我看他们几乎是一步一叩首，不知要多少天，才能到达塔公寺。

“这大都是一些远道而来的信徒。”强巴说，“他们风餐露宿，少则几十天，有的甚至要磕一年的头，才能到达他们的朝圣地。”

中午时分，我们来到塔公。这里除了规模不小的塔公寺，还有一所福利院和一所佛学院。街上，有许多穿着紫红色长袍的喇嘛，手里摇着各种各样的转经筒。

汽车开到一座华丽的藏式碉房前停下来，这是老爸

的老朋友布珠的家，他是画唐卡的大师。

布珠从屋子里迎出来，他有一头黑色的卷发和一副漂亮的小胡子。布珠和老爸热烈拥抱后，又和我握握手，他邀请我们到他家去吃午饭，老爸说要上草原去拍一些镜头，怕耽搁时间。布珠就说晚上一定得到他家去。

强巴的越野车在辽阔的塔公草原上狂奔。草原上没有路，却到处都是路。强巴索性丢开方向盘，汽车在草原上撒起野来。强巴一阵开怀大笑，还发出“喔，哦哦”的叫声。直到看见一群牦牛和几个藏族小孩，强巴才又认真地开起车来。

老爸要拍这些牦牛和藏族小孩，我们都从车上下来。

老爸开始倒腾他的摄影器材，强巴帮他扛三角架，我帮他背摄影包。那几个藏族孩子好奇地看着我们，他们的脸上都有两团高原红，黑白分明的眼睛清澈无比。

老爸刚把镜头对准他们，他们就跑了起来，强巴扯起嗓子，用藏语唱了几句，仿佛听到了神的召唤，孩子们不跑了，转身向我们走来。

“太棒了！”

老爸举起相机，“咔嚓咔嚓”拍起来。

背景是蓝天、白云、草原和散落在草原上的牦牛，人物是一群天真无邪、神态各异的藏族小孩，这样的摄影作品肯定是很棒的。

拍完一个胶卷，爸爸高兴极了，到车里去拿压缩饼干给这些藏族孩子吃，我也把包里所有的巧克力拿出来请他们吃。

一个大点的男孩，估计年龄跟我差不多大吧，给我做了个骑马的动作，强巴对我说："他问你想不想骑马？"

我太想骑马了。

过了一会儿，这个男孩子果然骑着一匹白马来了。强巴抱我上了马背，男孩让我抱紧他的腰，双腿一夹，白马便飞奔起来。

骑了一圈，男孩从马上下来，把缰绳交给我，然后在马屁股上一拍，我还没有回过神来，马就飞跑起来。

我在心里告诫自己：一定要沉着，千万不要慌！我努力地回忆着刚才男孩带着我骑马的时候，他的动作，他的姿态。我的手牢牢地抓住缰绳，双腿紧夹马肚，只要不被马摔下来就行。

看来男孩是挑了一匹好脾气的马让我骑，它对我很友好，让我很快地找到了小骑手的感觉。我把在马上的模样想象得十分威风。

太阳西落，这是塔公草原最美丽、最迷人的时刻。天边铺满了彩云，每一片彩云都镶着晶亮的边，太阳在彩云里一点一点地往下沉，既辉煌又悲壮。

骑着白色的骏马，我把自己想象成白马王子

老爸兴奋无比，我想任何一个摄影家面对这样的落日，都会兴奋无比。他一会儿在三角架上拍，一会儿跳到越野车上去拍，一直拍到太阳消失在最后一抹红光里。

老爸心满意足，一边吹着口哨，一边收拾着那些长长短短的镜头。

当我们坐在车里，天已经黑尽了。车向画唐卡的大师布珠家开去。

布珠和他漂亮的太太把我们迎进宽大的客厅里。这是一个具有现代化、民族化的客厅，客厅中央放着一个藏式火盆桌，房梁上画着蓝白红的装饰花纹，墙上挂满色彩浓烈的壁毯，而且，高组合柜、矮组合柜、沙发以及电视机、影碟机、音响在这个充满酥油味的客厅里都能见到。

女主人给我们每人献上一条洁白的哈达，然后又敬上一碗青稞酒。我见老爸和强巴都用右手的无名指蘸点酒弹了一下，这样连续蘸3次，弹3下（后来据说是一敬天，二敬地，三敬主人）。我从来没有喝过酒，端着酒不知怎么办，老爸给我使眼色叫我喝，我豁出去了，也学老爸和强巴那样，用右手无名指蘸点酒弹一下，连续三次，双手端碗，眼睛一闭，像喝药一样，“咕咚咕咚”喝干了碗中的酒。

“好！”强巴大喝一声，鼓起掌来。老爸暗暗向我竖了一下大拇指，一脸的自豪。

喝了青稞酒，又喝酥油茶。酥油茶是在清茶中加酥油和盐，有股怪怪的味道。老爸担心我不习惯这种怪味道，还好，我居然还品出了酥油茶特别的香味来。

晚饭吃的是手抓坨坨肉。煮得刚过火的大块羊肉上，插着几把锋利的刀。我们一人手里一把刀，把肉削

下来，削一块吃一块，味道十分鲜嫩。

饭后，布珠带我们参观了他家的经堂。在藏区，有条件的家庭，几乎都有经堂。用来做佛事。布珠家的经堂设在顶楼主室，有4间隔，金碧辉煌，有佛龛、经书，各种铜塑像、泥塑像。最多的是唐卡，大多是布珠的杰作。老爸对唐卡十分着迷，和布珠谈得投机，把我和强巴晾在一边，我一个接一个打起哈欠来，传染给强巴，强巴也打起哈欠来，老爸不得不停止他的高谈阔论，和我们一道离开了布珠的家。

给冉冬阳的明信片

冉冬阳：

我今天到了“菩萨都喜欢的地方”——塔公。我骑着一匹白色的骏马奔驰在美丽的塔公草原上。骑在马上潇洒英武的光辉形象，可惜你没有见到。不过老爸可能给我拍了照，照片洗出来你可以瞻仰一下。

“贝多芬”和“梦露”还好吧？

吴缅于塔公

野人海

6月30日　星期三　晴

昨晚睡觉前，老爸告诉我今天要去野人海。哇，野人海，好刺激的地方！我的睡意顿消，在脑海里编织着“野人海”的故事，进入了梦乡——

野人海是一个野人出没的地方。为了搜寻野人的踪迹，我和老爸驾驶着一艘快艇，航行在野人海的海面上。

快艇快到湖心的时候，只见湖心开出一朵雪白的水花，花心里站着一个

头发拖到脚底的女野人，一伸手便把老爸从快艇里拖出来，然后沉入水底。

“老爸——”

“嘿，儿子，说梦话啦？”

睁眼一看，老爸正在拍我的脸，原来做了一个“野人梦”。

今天一早上了强巴的越野车，一心要去野人海探险，所以一脸“壮士一去不复返”的庄严肃穆。

“嘿，小伙子，干吗这样严肃？”

强巴从反光镜里看着我。

老爸转过身来问我：“儿子，你昨晚做了一个什么梦，又叫又喊的？”

“我梦见你被女野人抢走了。”

“哈哈哈！”

老爸和强巴高声大笑。

强巴说：“你老爸巴不得被女野人抢走呢！”

强巴讲道：“野人海的藏语是‘木格措’，还有一个名称叫‘无法逾越的海’。很多年前，有人在海滨伐木，扎木筏子渡湖，划到湖心，扎木筏子的绳子断开，木筏子散了，伐木人都葬身海中。还有一个传说：在一个冬天，湖面上结了冰，牧人赶着一群牛在湖面上走，刚走到湖心，冰层突然塌陷，牧人和牛群全都葬身海中，所以‘木格措’又叫‘无法逾越的海’。”

难道是一种暗合，我的梦中，也是在湖心，老爸被女野人掳去的。

来到野人海，湖面上罩着一层厚厚的雾气，看不清它真实的面目。等太阳收去它神秘的面纱，我才发现这是一个美丽安宁的高原湖泊，全然没有我想象中的狂野和恐怖。

我和老爸划着一条猪槽船，在湖面荡漾。老爸把船划向湖心，他说看那里是不是真的会冒出一个女野人来。

船到了湖心，静止在那里，水面平静得没有一丝涟漪，湖水映着蓝天白云和四周的群山，水天交融，人也融入了大自然里。

黄昏，湖面上升腾起白色的雾气，野人海又躲进了神秘的面纱里。

强巴开着越野车接我们来了。

汽车沿着湖滨行驶，车窗外是茂密的森林。

汽车停在一座木屋前，强巴说这是他叔叔的家，他的叔叔是个看林人。

强巴把我们带进木屋，只见一位藏族老人正坐在火塘边烤洋芋。强巴介绍说，这就是他的叔叔，老爸用刚学的一句藏语向他问好：“扎西德勒（你好）！”

强巴的叔叔脸上布满了刀刻一般的皱纹，一看便知是一个饱经风霜的人。他不会说汉话，从火塘里掏出两个馒头大的焦黄焦黄的洋芋来，一个给老爸，另一个给了我。我伸手去接，就像摸到一个火球，烫得我直甩手，强巴和他的叔叔都大笑起来。

那个被我甩掉的洋芋在地上骨碌碌地滚着，强巴的叔叔把洋芋捡过来，握在手里，在地上轻轻地拍着，然后用手掰开，一股奇妙的香味儿扑进我的鼻子里，我的口水都快流出来了。

强巴的叔叔把掰开的洋芋递到我手中。在地上拍过一阵后，洋芋已经不那么烫了。强巴的叔叔端来一个铜盘子，盘子里面铺着一层红红的干辣椒面和盐。我学他的吃法，掰一块洋芋蘸一点铜盘里的辣椒盐，那味道绝对压住肯德基里的炸薯条。

满屋子都是烤洋芋的香味儿，火塘里的火光映红了老少4个男子汉的脸膛。我们大口大口地吃着蘸着辣椒盐的洋芋，吃得大汗淋漓，通身畅快。我敢说，烤洋芋蘸辣椒盐，绝对是世界上最好吃的东西。

虽然，今天看见的野人海和我想象的野人海相去甚远，但我还是把我想象中的野人海写给了冉冬阳，不知她读了这张明信片后有何感想。

给冉冬阳的明信片

冉冬阳：

今天，我去了野人海。野人海就是野人出没的地方，他们居住在海滨的森林里，有男野人、女野人，还有小野人，身上长着长毛，会爬树，还会轻功，可以在湖面上走。至于我和野人发生的惊险故事，等我回来再讲给你听。

吴缅于木格措

狂欢的“耍坝子①”节

7月1日　星期四　晴

天不亮，我们就从塔公出发了。今天，我们要赶到几百公里以外的色拉坝去，看那里的“耍坝子”节。

山路弯弯，道路崎岖。途中，三菱越野车爆了一个车胎。强巴换上一个备用胎，我说，再爆一个就没有换的了。

① 农历七八月间，甘孜州许多城区或牧区，流行的一个民间节日。节日时间不统一，由各地择吉日而定，节期1—2天或3—5天。

“别说不吉利的话！”强巴用手拍了一下我的头，“赶不上看耍坝子，你可要后悔哦！”

强巴说，耍坝子，好玩得很，人们玩上几天几夜，都不想回家。

下午四五点钟，车开到一个鲜花盛开的草坝上，那里已聚集了许多穿着鲜艳藏族服装的男女老少，还有赶着马车、开着越野车的人源源不断地聚集到这里来，草坝上已经散落着好多漂亮的大帐篷。

强巴在藏区是个大明星，几乎所有的人都认识他。当他从汽车上下来时，人们像潮水般地涌向他，高声地喊着他的名字。

“强巴——依哟喃！”

“强巴——依哟喃！”

强巴摘下他的帽子，放在胸前，向人们鞠了一躬，然后，放开歌喉，用藏语唱了一首在当地流行的《祝福彩箭之歌》。

箭头直指蓝天的苍穹，
祝福人的威望比天高；
箭杆朝向灰色的岩石，
祝福人的体魄比石坚；
箭尾指向绿色的江水，
祝福人的寿元比水长。

强巴的歌声高亢、激越，久久地回荡在美丽如画的

色拉草坝上。

一群花枝招展的姑娘，手牵手地来到强巴的跟前。她们非常害羞，眼睛都不敢看强巴，却要跟强巴对歌。

人们开始起哄，姑娘们的脸上本来就有两朵高原红，这时脸更红了，红得像开得正艳的格桑花。强巴摆开了对歌的架势。

姑娘们：我不知道问歌手，
斯巴[1]宰杀小牛时，
砍下牛头放哪里？

强　巴：斯巴宰杀小牛时，
砍下牛头放高处，
所以山峰高耸耸。

姑娘们：我不知道问歌手，
斯巴宰杀小牛时，
割下牛尾放哪里？

强　巴：斯巴宰杀小牛时，
割下牛尾栽山阴，
所以森林浓郁郁。

姑娘们：我不知道问歌手，
斯巴宰杀小牛时，
割下牛皮放哪里？

强　巴：斯巴宰杀小牛时，
割下牛皮放路口，
所以大地平坦坦。

---

① 是一个高大牧民或神的形象。

歌中唱到的“斯巴”，是一个高大的“神”的形象。令人感到惊讶的是，这些姑娘们的嗓音都非常的好，无论有多高的音，她们都能唱上去，绝不比以一曲《青藏高原》红遍天下的李娜逊色。

对歌最容易把气氛掀向高潮，许多人都抢着要和强巴对歌，强巴却把我推了出来，众目睽睽之下，我说我不会唱这里的歌。一个小伙子用汉语说道：“对流行歌也成！”

从刘德华的《忘情水》，到任贤齐的《心太软》，流行歌一首接一首地唱，我没想到生活在这样偏远地区的藏民们，居然会唱这么多流行歌曲，而且，他们的音准都特别好，绝不会唱走调。

最后，我唱了美国电影《泰坦尼克号》的主题歌《我心永恒》，音起高了，唱到最后，我已声嘶力竭，眼看快露馅了，有人帮我唱起来，不一会儿，便合成了一片歌海。

了不得，连这样的歌也能唱!

我败下阵来，趁人们还在尽情高歌的时候，溜出人群，去找老爸。

老爸正在给一群藏族姑娘拍照。老爸曾说过，康巴汉子最剽悍，康巴姑娘最漂亮。真的是这样，我见过的康巴姑娘，几乎都有一双美丽的眼睛，常常垂着眼帘，阳光透过又密又长的睫毛，在脸上投下一道淡淡的黑

弧，当她们把眼睛抬起来看着你时，你会发现她们的眼睛会说话。

有摩托车从远处驶来，是扎西来了。老爸要拍康巴汉子，这是强巴专门为他找来的模特儿。

扎西从摩托车上下来，迈着两条长长的腿向我们走过来。他至少有1.90米高，肩膀很宽，穿一件雪白的绸衬衫，外面套一件镶着豹皮边的短藏袍，脚上穿一双乌黑透亮的马靴。扎西没有戴帽子，因为他有一头漂亮的卷发，唇上还有一撮小胡子，这是一个真正的美男子。

老爸和扎西简单地交谈了几句，他们就拍起来。老爸拍片非常讲究用光，他说扎西挺拔的鼻梁最能体现男子汉的阳刚之美。他拍了许多扎西的侧影，背景是夕阳照耀下的雪山。

夜幕降临的时候，草坝上更热闹了。人们燃起篝火，把整只整只的羊架在火堆上烤起来。汉子们雪白的牙齿撕咬着半生的羊肉，端着盛满青稞酒的铜碗，一仰脖子就是一

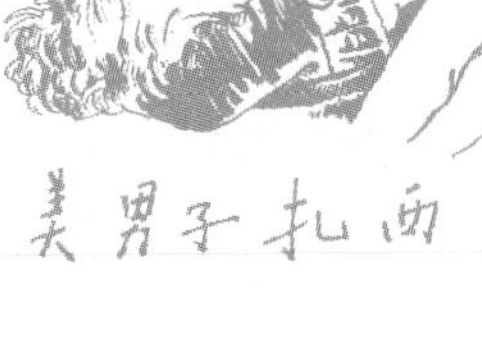

美男子扎西

碗，一仰脖子就是一碗，痛饮？畅饮？豪饮？酒汩汩地从他们的嘴角边流淌下来，流过红红的脖子，胸前的衣衫湿了一大片。夜色中的草坝上弥漫着青稞酒的浓香。

酒足饭饱，人们围着熊熊燃烧的篝火，跳起了锅庄[①]，男女老少都会跳，真正印证了刚见到强巴时，强巴对我说过的一句话：我们藏族人民，会说话就会唱歌，会走路就会跳舞。

锅庄舞热烈奔放，康巴汉子们个个都是跳锅庄的高手，他们能把锅庄跳得地动山摇。

强巴把我和老爸也拉进了跳锅庄的人群里，我跟在一个高挑儿的姑娘后面，她大约有十六七岁，跳的舞步非常复杂，我跟在她的后面，别说跳，就是连走也不会了。

“别急，你跟着我的步子。”

她回头向我一笑，普通话说得非常标准。她放慢了步子，让我跟着她跳。

几圈跳下来，锅庄的几种舞步我已经基本上掌握了。在这能歌善舞的人群里，我从容地交换着舞步，跳高兴了，也学那些血气方刚的汉子，豪迈地吼一嗓子。一个字，爽！

毕竟是在海拔三千多米的高原上，跳了一阵子，很快就累了。强巴把我和老爸带到一个帐篷里让我们进去

① 是藏区普遍流行的一种舞蹈，由许多人围成一个圆圈载歌载舞。

休息。

我和老爸躺在帐篷里，草坝上的人还在狂欢，他们会通宵达旦。

帐篷上方开了一个小窗，窗外星光灿烂。一颗一颗的星星又大又亮，仿佛就悬在窗外，我一伸手就能摘到。

看着星星，突然想起了妈妈，这是我出来几天后，第一次想起妈妈。

“不知妈妈现在在干什么。”

老爸也在看星星。他说：“我和你妈妈就是在跳锅庄时认识的。那时她还是美术学院的学生，活蹦乱跳的，跳到我跟前，踩了我的脚。”

我挤到老爸身边去，和他眼睛对着眼睛：“老实说，是她踩了你的脚，还是你踩了她的脚？”

“是她踩了我的脚，这是你妈后来告诉的。她说她故意踩了我的脚，是想认识我。”

“哦噢——”我怪叫一声，“你那个时候是不是很帅啊？”

“帅倒谈不上，只是留个大胡子，可能是你妈妈觉得有成熟男人的魅力吧。那时候，你妈又天真又单纯，一心想找个成熟的男人做老公。其实，你妈妈和我结婚以后，她就发现我并不是她需要的那种可以把她照顾得很好的男人，因为我干的这一行决定了我这一生将浪迹天涯，一年365天，有300天都不在家……”

老爸说得没错，我妈虽然已经三十几岁了，可仍然像个永远长不大的小女孩。黑夜里看不清老爸的脸，但我能感觉到老爸对妈妈的内疚之情。

“没事儿，老爸！”我想安慰老爸，“我会把我妈照顾得好好的。”

老爸没有说话，只是紧紧地握了一下我的手，好像真的就把妈妈托付给我了，一种强烈的责任感在我心里油然而生。

草坝上，人们还在尽情地跳着锅庄。在满天星斗下的一座帐篷里，有两个男人，一个在想念他的妈妈，一个在回忆过去的故事。

给冉冬阳的明信片

冉冬阳：

你见过一望无际、开满鲜花的草地吗？我们今天来到的色拉坝，就是这么一个地方，这里正在举行“耍坝子”节。每年在这最美丽的季节，四面八方的人聚集在草坝上，唱歌、喝酒、烤肉、跳锅庄，狂欢几天几夜。真想天天在这里过“耍坝子”节，我都不想回去了。哦，不！我还是要回去的，我舍不得“贝多芬”和“梦露”。

“贝多芬”和“梦露”别来无恙？

吴缅于稻城色拉坝

夜走大雪山

7月7日　星期五　晴转雨

昨天，老爸和美男子扎西已成了朋友。康定人特别好客，他一定要邀请我们到他家去坐坐。

扎西的家是一幢说得上豪华的石砌碉楼，有点像英国电影里的城堡。院子里除了扎西昨天骑的那辆本田125，还停放着一辆崭新的三菱越野车和一辆冷冻车。

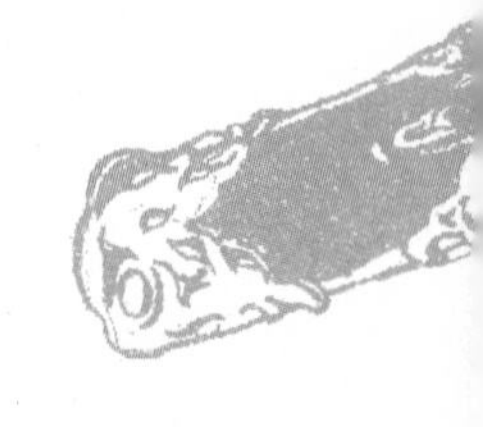

这就奇怪了，扎西家怎么会有冷冻

车，难道他们家是做冰棍生意的？

强巴告诉我们，扎西是做松茸生意的。松茸是一种鲜美的食用菌，大量出口日本，在运输中必须装在冷冻车里。

扎西家的客厅很大，地上铺着华丽的纯毛地毯，特别引人注目的是一面装饰墙上，挂满了长长短短的藏刀。

“我喜欢收藏宝刀。”扎西向我们展示着他的宝贝，“这里的每一把刀都有一个传奇的故事。”

我看了这些刀都配有刀鞘，有铜的，有银的，刀柄上都镶着宝石。

我问扎西最喜欢哪把刀？

扎西从墙上取下一把大约有一尺长的刀，哗的一声抽出鞘，只见寒光一闪，锋利的刀刃直逼了过来。哗的一声，刀又插进了刀鞘，然后斜挎在腰间，身上平添了几分英武之气，真是宝刀配英雄啊！

我看那宝刀的刀鞘像是纯金做的，雕着精致的花纹，刀柄上镶着一颗猫儿眼绿宝石，这把刀肯定有些来历。一问，果然是扎西家的传家宝。

扎西做松茸生意赚了许多钱，他几乎算这里的首富了。他说他想投资搞旅游，天下人都知道有个九寨沟，却不知道有个比九寨沟更美的地方——稻城。他的构想很多，第一步要做的就是请摄影师把稻城风光拍下来，出成画册，先把稻城宣传出去，他坚信稻城最终能走向世界。

“吴先生！”扎西握着老爸的手，“我见过你拍的一本画册《西藏魂》，很棒的。我希望你来拍我们的稻城。”

老爸爽快地答应了扎西。因为我7月5日要回学校去看小学毕业考试成绩，所以我必须在这之前赶回去。而且，老爸还要在8月底开一个摄影展，所以他要再来稻城，只好另做安排了。

从扎西家出来，我们踏上返程，今天要赶回康定。

一路顺风，老爸和强巴轮换着开车，下午3点钟，就到了理塘。汽车停在一个成都老乡开的小饭馆前，老板过来就问：“吃啥子？”

这家饭馆虽小，菜却是地地道道的川菜，麻婆豆腐、回锅肉、锅巴肉片的味道都正宗得很。

吃过饭，强巴去给汽车找备用胎，我和老爸在街上随便走走。街边有许多卖手工艺品的，我和老爸都对藏刀感兴趣。当然，这些小摊上的藏刀是不能和扎西收藏的藏刀相提并论的，但买把回去留作纪念还是不错的。

买了藏刀，老爸问我："你不想给你妈妈带点什么纪念品回去？"

我当然想送纪念品给妈妈，妈妈每次从外地回来，都要送我纪念品。

挑来挑去，真的不知道妈妈到底喜欢什么。老爸把一对铜骨手镯放在我的手上："你妈可能会喜欢这个。"

我恍然大悟，妈妈喜欢戴手镯，她有许多手镯，穿不同的衣服，戴不同的手镯。我坚决地买了这对手镯，是老爸付的钱。

在摊上还看见有绿松石项链，我一眼就看出这可能是罗老师喜欢的，便毫不犹豫地把它买了。

当我正转身要走的时候，卖东西的藏族老妈妈递过来一面有手柄的椭圆形铜镜，她对我说了几句，可是我一句都听不懂，只好把铜镜接过来。这面铜镜很重，做工十分精致，手柄上一大一小镶着两颗红宝石。这铜镜好是好，可我一个男孩子，再好的镜子对我也没有用。我把铜镜还给老妈妈，可她十分固执地又把镜子塞在我的手里，我听不懂她说的话，只能看她的表情，她的眼睛非常善良，眼神里却有一些神秘的东西，莫非这是一面照妖镜？一面会施魔法的魔镜？我问老妈妈多少钱，她摆手。我小心翼翼地放了50元钱在她的面前，她还是不要。

我百思不得其解，为什么老妈妈要送我一面铜镜？只知在迷信里，镜子有驱妖除魔的法能，难道好心的老妈妈是在祝福我逢凶化吉？

强巴把车开过来，一脸的愁容，原来他跑了几个地方，都没有找到备用胎。

“马上就要翻大雪山，万一车胎再出了问题，我们就惨了。”

“不会有事的。”我举起老妈妈送我的铜镜，“我们有这个，一切都会逢凶化吉的。”

我拼命地催促强巴，我怕今晚到不了康定，误了我回成都的时间。犹豫了许久，强巴到底禁不住我的软缠

硬磨，答应上路了。

翻大雪山时，天已快黑了。路极不好走，强巴全神贯注地开着车，我和老爸也不敢说话，怕分散强巴的注意力。

路越来越险，强巴把车速减了下来，我悬着一颗心，暗暗祈祷：千万不要出事！千万不要出事！

可是，就在这个时候出事了！我们的车又爆了一个轮胎。

“怎么办？我们怎么办？”

这时候，强巴倒是十分镇定。他说不能让车堵在路上，然后指挥我和老爸把车推到路边。

我问强巴：“有没有办法修好？”

“没办法。”强巴两手一摊，“除非有一个备用胎。”

都怪我，如果在理塘时不那么急地催促强巴，也许强巴最终能找到一个备用胎。

我多么想老爸或强巴能责备我几句，这样我心里会平衡一些。可是，老爸和强巴都没有要责备我的意思，他们蹲在路边抽起烟来，一副随遇而安的样子。

我们要等辆三菱车来，如果车上有备用胎，看能不能先借来给我们的三菱车安上。

我一次又一次地到山崖上去探望，看下面有没有沿着盘山公路上来的三菱车。天色已暗，要过山的汽车已经很少了。

我基本上绝望了，好像全身的骨头都松塌下来：“我们是彻底地被困在山上了。”

“站直啰，别趴下！”强巴在我后背上猛拍一掌，“男子汉嘛，没有我们过不了的山，没有我们闯不下的关——来，我们唱首歌来鼓鼓气。”

强巴放开歌喉，高声唱道：

红军不怕远征难，
万水千山只等闲。

因为小学课本里学过这首诗词，我也会唱。老爸是唱着这首歌长大的，当然他也会唱，我们俩都加入了进去，一首雄浑的男声小合唱响彻大山。

五岭逶迤腾细浪，
乌蒙磅礴走泥丸。
金沙水拍云崖暖，
大渡桥横铁索寒。
更喜岷山千里雪，
三军过后尽开颜。

山雨来势凶猛，雨点儿噼噼啪啪地打在我们的身上，可是我们谁也没有躲进车里去。我爬到车顶上，张开双臂，仰头向天喊道：“暴风雨，来吧，我们不怕！”

强巴跑到崖边，那里有一棵挺拔的青松。强巴做了一个顶天立地的动作，唱的是京戏：

要学那泰山顶上一青松，
顶天立地傲苍穹，
八千里风暴吹不倒，
九千个雷霆也难轰。
…………

我看见山下的盘山公路有一串灯光在移动，惊喜道："有车来啦！"

车慢慢地开近了，是军车，哇，我们得救了！

强巴、老爸和我，三个人的衣服都湿透了，手挽手，肩并肩站在路上，车上的解放军已看见我们了。

强巴深情地唱起来：

最亲的人啊是解放军，
…………

第一辆停下来，后面的车也跟着停了下来。

"嘿，怎么啦？"

第一辆车的驾驶员打开车窗，把头探出来问道。当他了解了我们的遭遇后，又下车看了看强巴的三菱车，然后去和后面几辆车的司机商量后，就让我们三人分别上了三辆车。

这几辆车也是到康定的。这时，暴风雨更猛烈了，汽车在泥泞的公路上艰难地跋涉。我把藏族老妈妈送我的铜镜悄悄拿出来，希望它能保佑我们今夜平安地到达康定。可我马上又把它放回包里。旦夕祸福，谁也躲不过。人在困境中，强巴和老爸已为我做出了最好的榜样：只要精神不倒，一切都会OK。

想对你说声对不起

7月4日 星期日 阴

昨天回到家里，已经是晚上10点多。一放下行囊，就给冉冬阳打电话。

“冉冬阳，我回来了。”

冉冬阳没有说话，一种直觉告诉我，不是“贝多芬”就是“梦露”出事了，或者是它俩都出事了。

今天一早就到冉冬阳家去。冉冬阳打开门，眼睛都不敢看我。“梦露”

见到我，发出一声狂喜的叫，便扑到我身上来。显然，“梦露”是没有问题的。

“吴缅，‘贝多芬’生病了。”

“怎么搞的？”热血一下子冲到我的囟脑门儿来，“你是不是没有把猪肝煮熟就喂它了？”

我从来没有发过这么大的脾气。抱起“贝多芬”，它的头无力地耷在我的臂弯里，两只眼睛可怜巴巴地看着我，似乎很委屈的样子。

“对不起，吴缅。”冉冬阳也是很委屈的样子，“我真的是把猪肝煮熟了，一块儿喂的‘贝多芬’和‘梦露’，你看‘梦露’都没事儿……”

冉冬阳说得也有道理。可是看着“贝多芬”病成这个样子，我心乱如麻，也顾不得跟冉冬阳再

冉冬阳很委屈的样子

说什么，抱起“贝多芬”和“梦露”就走了。

回到家里，“梦露”就像回到了久别的故乡，一往情深地在几个房间里走来走去，“贝多芬”却蜷缩在沙发上，无力得连眼睛都睁不开了。

我给鲁肥肥打电话。每当我一筹莫展的时候，他那张可爱的胖脸就会浮现在我的眼前。

一听到是我的声音，鲁肥肥的话匣子就打开了。

“嘿，哥们儿，你到哪儿神游去了？我和古龙飞哥儿几个正想到处张贴寻人启事，寻你呢……”

我叫他住嘴，一刻钟以内，必须赶到我家里来。

不到10分钟，鲁肥肥就来了。他满脸通红，张着嘴大口喘气。

“吴缅，你家没有着火呀！”

我说是“贝多芬”生命垂危。我们是不是要把“贝多芬”送到狗医院去？

“人的病我不敢看，狗的病我能看个八九不离十。”

我不知道鲁肥肥还有这个特长。

鲁肥肥背着双手，装模作样地看了一会儿，说：“这‘贝多芬’是吃多了，消化不良。”

“完全有可能！”

我想鲁肥肥说得有道理，“贝多芬”贪嘴得很，毫无节制，只要你给它吃的，再多它也不拒绝。不像“梦露”，只要它吃饱了，就是再好吃的东西，它也坚决不吃。

都怪我没有把“贝多芬”的这个毛病告诉冉冬阳，她一定是喜欢“贝多芬”，就拼命地喂它，“贝多芬”就这样拼命地吃。

鲁肥肥见我认同了他的诊断，有点喜出望外，立刻拿出了一个比狗医生还狗医生的治疗方案。

“不用打针，也不用吃药，饿它三天，什么病都好了。”鲁肥肥以他为例进一步地说服我，“小时候，我也是个不知饱胀的孩子，我妈就拿酵母片给我吃，我奶奶不准，她说饿我三天，什么病都好了。人家《红楼梦》里人生了病，都用饥饿疗法。”

原来鲁肥肥医狗的医术是从他奶奶那里学来的，他奶奶的医术是从《红楼梦》那里学来的，我忍不住要夸他。

“鲁肥肥，你真是医狗的天才。”

“不足挂齿！不足挂齿！”

趁鲁肥肥孤芳自赏的时候，我去给冉冬阳打电话，向冉冬阳道歉。

“冉冬阳，我……”

我听见话筒那边，冉冬阳吸鼻子的声音，她哭了。

“冉冬阳，你别哭啊！”我已经语无伦次，“猪肝是煮熟了的，都怪‘贝多芬’自己贪吃，吃坏了肚

子……”

“谁哭了，谁哭了？”

鲁肥肥冲过来问。我把错怪冉冬阳的事情讲给他听，鲁肥肥认为事情严重了。

“我跟冉冬阳同窗6年，还从来没见她哭过。现在她哭了，一定是伤心欲绝。”

虽然我知道鲁肥肥在夸大其词，但我还是有点紧张。

“我是想向她道歉的，可就是说不出口。”

“道歉有什么用？看来，这事儿还得我亲自出马，替你摆平。”

鲁肥肥一边说，一边向我伸出一只手来。我明白他的意思，他在向我预支酬劳。

我打开包，拿出一包在康定买的“李大姐牛肉干”扔给他。只一眨眼工夫，不知他是怎么开的包装袋，他已拉出一块牛肉干在嘴里嚼起来。这是鲁肥肥的绝活儿，只要里面装的是吃的，不管什么样的包装，他都能在最短时间内，让里面的东西到他嘴里。

“把那个包打开看看，有没有女孩子喜欢的东西。”

我把包打开，鲁肥肥一眼就盯住了那面藏族老妈妈送给我的铜镜。

“你要照镜子？”

我把这面镜子的来历讲给鲁肥肥听了，鲁肥肥把铜镜拿在手里把玩着，宝贝似的。

“如果把这面铜镜送给冉冬阳，冉冬阳可能会原谅你。”

我这时候惟一的愿望就是：只要冉冬阳不再生我的气，送她什么都成。

鲁肥肥摇摇摆摆地去给冉冬阳打电话。

“冉冬阳，你猜我是谁？”

这是最无聊的电话语言，给女生打电话，鲁肥肥也免不了俗。他那带着鼻音的声音哪里用得着猜，谁都听得出来，鲁肥肥还是坚持要让冉冬阳猜下去。

“冉冬阳，你猜吴缅给你带回来一件什么样的礼物？不知道吧，想一想，白雪公主的后妈爱问的一句话：‘世界上谁最美丽？’她问的是什么？对了。就是一面魔镜，现在这面魔镜就在我的手里，不信，你问吴缅吧——吴缅，来接电话，冉冬阳的。”

我接了电话，谢天谢地，冉冬阳不生我的气了，她似乎已忘记了刚才的不愉快，一个劲地追问是不是要送给她一面魔镜？冉冬阳是那种生活在童话里的女孩，想象力大大地有，这面来历有点神秘的铜镜送给她，还真是送对了人。

决定

7月5日　星期一　晴

今年小学升初中的最大变动是取消了重点中学保送制，市里几所最好的重点中学都变成了改制学校，凡小学毕业考试成绩语数两科总分在180分以上，都可以去报考这些学校，当然，还得过一道面试关。

班上80%的人的分数都上了180分。莫欣儿考了个全年级的最高分198.8分，现在她成了明星，许多人围着她，冉冬阳在她的身边，她俩总是形影不离。

我要把铜镜给冉冬阳，向她招手，冉冬阳没看见我，倒是莫欣儿看见了，拨开人群向我走来。她朝我笑——那是打败了对手，居高临下的笑。因为毕业前夕，她一直把我视为最强的竞争对手，现在她赢了，我的分数比她低0.3分。

“嗨，吴缅，你晒黑了。不过，我喜欢黑皮肤的男孩子。”

现在的女孩子好了得，连莫欣儿这样规矩的女孩子也能说出这么大胆的话来！幸好我现在的脸经历了青藏高原的紫外线，已经透不出红颜色了。

“莫欣儿，你准备去报考哪个学校？”

“外语学校。”莫欣儿说得斩钉截铁，她一直非常有主见，“你知不知道刘亦婷？”

我当然知道刘亦婷，全国都知道刘亦婷，因为她今年刚被全世界最著名的高等学府哈佛大学录取了。刘亦婷就是外语学校的，看莫欣儿志在必得的样子，她是想做第二个刘亦婷。

这时，冉冬阳、鲁肥肥、古龙飞和精豆豆都过来了。

莫欣儿挽住冉冬阳的手，问我想去报考哪所学校。

“这还用问吗？冉冬阳报考哪个学校，吴缅就报哪个学校。”

古龙飞还是这么讨厌。

“是吗？”莫欣儿 的脸上虽然还挂着笑，但笑得已经有些古怪，“冉冬阳要跟我报一个学校，这么说，你也要报外语学校？”

精豆豆过来贴在我身边，啪啪啪地拍着他那门板似的胸脯：“吴缅报哪儿，咱哥们儿就跟哪儿！肥肥，你呢？”

“嘿嘿嘿！”

鲁肥肥只笑不说，心里有数得很，他手里握着一卷从老师那里收集来的介绍各个中学的资料，他要做什么都稳扎稳打。

从学校出来，才想起在藏区给罗老师买的绿松石项链还没有给她，

精豆豆啪啪啪地拍着他门板似的胸脯

望一望三楼办公室的窗口，罗老师正被一群家长包围着。算了，明天到她家里去吧！毕业了，总应该去一趟的。

回到家里，妈妈也刚好回家，客厅里堆着大大小小的包。

“吴缅，考得怎么样？”

我说：“还行，上了改制学校的分数线，现在的问题是报考哪个学校。”

“你想考哪个学校？”

“我还没想好。你想让我考什么学校？”

“这是你的事情，你自己决定吧。”

我就知道妈妈会这样说。从小到大，妈妈就一直在对我说这样的话。记得我刚上一年级的时候，妈妈带我去买书包，她非让我自己选一个。面对那么多的书包，我的眼睛都看花了，挑来挑去，真不知挑哪个好。我让妈妈帮我选，妈妈说：“这是你要背的书包，必须得要你自己喜欢才行。”

妈妈和爸爸离婚的时候，我上小学五年级，要让我做一个我终生难忘、刻骨铭心的决定：选择跟爸爸在一起生活还是跟妈妈一起生活？我爱爸爸，也爱妈妈，这是一个世界上最最难做的决定。可是爸爸说：你必须做出自己的决定；妈妈也说：你必须做出自己的决定。于是，我做出了自己的决定。

现在，我又要自己做决定了。

今晚好好睡一觉．明天再说。

选校

7月6日 星期二 晴转太阳雨

很早就醒来了。躺在床上，头脑十分清醒，把可以报考的6个改制学校一一地在脑袋里过了一遍，筛选出3个，留下3个：外语学校、一中和六中。今天先到这3个学校看看再说。

从床上一跃而起，找出一张市区地图，用红笔把3个学校的位置画出来，刚好是三足鼎立的局面：外语学校在城西的高新区；一中在城南的大学区；六中在市中区。

骑着自行车，先到外语学校。

外语学校因为出了个被哈佛大学录取的刘亦婷，今年火爆得很，几乎全市最优秀的女生都到这里报到来了，人人都想做“刘亦婷第二”。

看看那些女生，怎么一个个都跟莫欣儿似的，出类拔萃，让人心虚。心想要在这样的学校里读书，班上不知有多少个莫欣儿要跟你做竞争对手，不紧张才怪。

年轻的校长亲自出马，回答家长们的咨询，听人在下面议论，这位校长是毕业于北京师范

冉冬阳 和 莫欣儿

大学教育系的硕士，怪不得他满口的教育学、心理学术语，听得那些家长一愣一愣的，心里不知道是怎样的仰慕。

在学校走了一圈，给人一种全新的感受，教学楼是新的，教学设备是新的，就连树都是新栽的。遗憾的是校园不大，而且没有足球场，要让一个铁杆球迷在一个没有足球场的学校里读6年的书，有点像老爸戒烟一样难。

刚撤退到校门口，就看见冉冬阳和莫欣儿手挽手地来了。在这里遇见她们，我在来的路上就想到了。

“吴缅，真的来啦？”

看莫欣儿和冉冬阳的表情，她俩是真心希望我和她们读这个学校。不忍心伤她们的心，还装模作样责备道：“你们怎么才来？”

莫欣儿说：“我就知道你要来，想约你一块儿来，冉冬阳说你不会来。”

“冉冬阳，你怎么会这样理解我？”

等她们回过神来，我已骑上了车，还听见莫欣儿尖着嗓子在喊：“吴缅，你什么意思嘛？”

“再见了，莫欣儿！”我在心里说，“我不想再跟你做竞争对手了。”

一路汗流浃背从南向西，骑了半个多小时，到了我们这个城市的老牌名校。这个学校给我的第一印象就很

好。一进校门，首先给我的是一片浓阴，道路两旁梧桐树篷在一起，搭起了一个绿色的通道。当你走过这片绿阴时，已经是通身清爽，满怀好感了。绕过两座不新但十分大气的教学楼，竟有一个绿草茵茵的足球场。我顿时热血沸腾——这个学校我读定了。

再回到校门口，有一则招生启事，对我来说，更是振奋人心：一中还有一个享誉全国的管弦乐队，每年暑期，乐队都要出国演出访问，凡持有管弦乐器业余6级考试证书的考生，可以优先录取。

我有萨克斯业余8级的证书！

从一中出来，在去六中的路上我有一种预感：鲁肥肥会报考六中，说不定他现在就在那儿。记得在毕业前夕，他就在我面前老吹六中，吹六中的信息课程，吹六中的图书馆，从我国某个大文豪到他的老爸，都在六中读过。虽然大文豪在六中没读毕业就出国留洋去了，但他老爸是读毕业了的。

六中就在市中心，其实离我家挺近的。

不知是不是要表现出六中具有悠久的历史，六中所有的建筑都是仿古建筑，一色的琉璃瓦在阳光下闪闪发光。六中的建筑物都不高，每幢建筑物都有名人题的匾。当然，这些名人不是歌星影星，也不是体育明星，而是顶呱呱的大学者或顶呱呱的科学家。这个学校给人一种底气十足的感觉。

已经大致地把六中游览了一遍，该看的地方都看了，并未见鲁肥肥的踪影，莫非他已来过了？

正准备打道回府，突然下起了雨，太阳却明晃晃地还在天上，这就是有首歌里唱到的“太阳雨”吧？

远远地见几棵芭蕉树簇拥着一座精巧的八角亭，心想在那里避避雨还不错，用手蒙了脑袋向亭子跑去。刚跑进去，见还有两人也蒙了脑袋朝这里跑，两人都胖，一高一矮，看矮的跑的是鸭子步，心里就乐了—— 哈，鲁肥肥！

鲁肥肥一见我，如见久别重逢的老友，只是没拥抱而已。

鲁肥肥一开口就说：“哥们儿，说定了，咱俩就读这所学校。”

“谁跟你说定了？我读一中，你跟我去读一中吧！”

“还是六中好！”鲁爸爸怕我动摇鲁肥肥报考六中，插进我和鲁肥肥之间，把我俩隔开，然后再说服我，“从各方面的情况分析看，六中各方面的指数都很高。吴缅，我看你还是报考这个学校好。”

我不知道鲁爸爸说的“各方面的情况”是什么情况，我只知道一中有我喜欢的足球场和管弦乐队，报考一中我已坚定不移。

鲁肥肥不再说什么，我也不再说什么，这就是聪明人与聪明人相处的好处。

鲁爸爸更聪明，他岔开话题，说他在这里读书时，经常跑到这个小亭子来听雨打芭蕉的声音，中学时就发表了一篇写“雨打芭蕉”的文章，所以他后来成了大学中文系的教授。

太阳雨很短暂，说停就停。

和鲁肥肥鲁爸爸在六中的大门前告别，伸出右掌，掌心朝下，鲁肥肥也伸出右掌，掌心压在我的手背上——

我说：“考上一中！”

鲁肥肥说：“考上六中！”

罗老师的男朋友

7月7日 星期三 晴

昨天晚上，我给罗伊老师打了个电话，告诉她我决定考一中了，她说她也希望我考一中，还让我今天到她家去一趟，她要介绍一个人给我，这个人就是一中毕业的。

按约好的时间，下午3点，我准时按响了罗老师家的门铃。

罗老师来开了门，她说一直在等我。

罗老师拉着我的手进了她的房间，房间有淡淡的茉莉香味儿，粉红的碎花窗帘在夏日的微风中轻轻摇动。床上、书桌上、墙上甚至窗帘钩上，到处都是史努比，各种各样的史努比，布做的，陶做的，塑胶做的。

罗老师给我洗水果去了，我的手紧紧捏住那串绿松石项链，手心里都捏出了汗。本来在进门的时候就应该送给罗老师的，不知为什么，我突然怕罗老师问我为什么要送她项链。

罗老师已看出了我的局促不安，她一边削水蜜桃，一边问道："吴缅，你有什么话要对我说吗？"

"我要送你一串项链。"

我终于把那紧紧攥住项链的手伸了出来。

"哇，绿松石，我喜欢！"

罗老师是真的喜欢那串项链，她马上就把它戴在脖子上，然后站在门边离我很近的地方，让我看效果。

"吴缅，你看怎么样？"

罗老师穿的是一件粉绿色的真丝衣服，下面配一条绿色的碎花长裙，脖子上再配一条绿松石项链，在一般人看来，是再谐调不过的。可我在藏区看到的那些漂亮服饰，很少有同色调搭配的，配色的反差极大，有些配色是我们想都不敢想的，但效果却出奇的好。

我记得罗老师有一件梅红色的真丝小背心，如果换上那件呢？

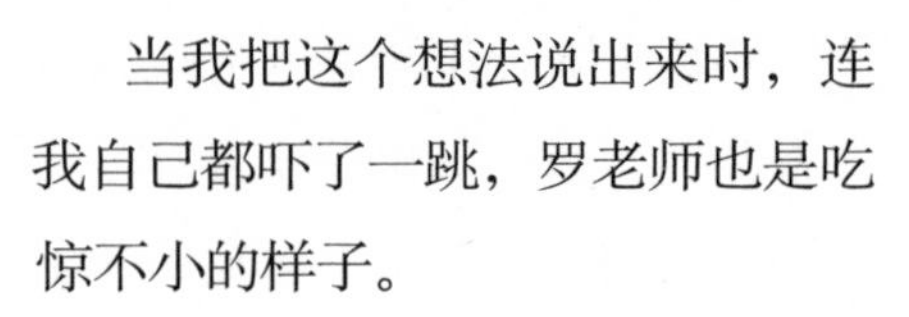

罗伊老师戴着绿松石项链

当我把这个想法说出来时，连我自己都吓了一跳，罗老师也是吃惊不小的样子。

“吴缅，你怎么知道我有这么一件衣服？”

我不知道我的脸红了没有，反正手心里是出汗了。

“你忘了，我们照毕业合影时，你就穿的那件衣服。”

“哦，对，我是穿的那件衣服。”罗老师有些犹豫，“红配绿，会不会显得艳俗？”

罗老师到隔壁去换衣服去了，我知道她对我的建议持怀疑态度，但她尊重我的意见，哪怕不行，她也要试一试。尽管我是她的学生，尽管这是一件小事，但她还是会尊重的。

罗老师换好衣服进来了，我只看一眼，就知道我成功了——衣服上如果没有那串绿松石项链，红衣绿裙肯定是俗艳的，然而那串长长的绿松石项链往那梅红衣衫上一压，再与下面的绿色碎花长裙一映衬，那独特的味道就出来了。

“吴缅，我发现你对色彩有一种天生的感悟力，是不是你爸爸妈妈的遗传啊？”罗老师站在穿衣镜前左照右照，前照后照，“我觉得很漂亮，我就这样穿了。”

罗老师虽然是老师，但像所有的年轻女孩子一样，穿上漂亮的衣服就高兴。

门铃又响了。

“是他来了。”

他是谁？他就是罗老师要介绍给我的那个人吗？

罗老师带进来了一个戴眼镜、穿T恤衫但没有穿牛仔裤的人。

罗老师介绍道：“这是吴缅。这是胡洋哥哥，在清华大学建筑系读博士，他以前也是一中毕业的。”

“你就是吴缅？”胡博士和我握手，“久仰大名，经常听你们罗老师说起你。”

一听说这个人是清华的博士，我就知道他是谁了。以前好像听冉冬阳说过，罗老师的男朋友在清华读博士。那么，他就是罗老师的男朋友？

像大多数记忆不差的人一样，胡博士讲起他的母校一中，滔滔不绝。我看着他薄薄的嘴唇和不太整齐的牙齿，几乎一句都没听进去。我的心里有几分遗憾，几分失望，我总以为罗老师的男朋友不应该是这个样子的。应该是什么样子的？我也说不清楚。反正罗老师在我心目中是最最完美的，那么她的男朋友也应该是最最完美的。

胡博士深情地讲完母校，又深情地讲清华，那意思是希望我读了一中，以后还要读清华，永远做他的校友。胡博士是个有幽默感的人，如果他不是罗老师的男朋友，我想我是会喜欢他的。

看见书架上有相册，我问罗老师可不可以看？罗老师把相册取下来，说：“看吧，这里面还有你的相片呢！”

罗老师帮我翻起来，翻到放大的一张照片：“看，这是不是你？”

照片上的罗老师穿着白色的长裙，坐在青青的草坡上；一个小男孩坐在罗老师撒开的白裙上，这个小男孩就是我，读一年级。那时的罗老师也只有18岁，刚从师范学校毕业。

“看你那时候多小啊！”罗老师的一只手轻轻地搭在我的肩上，长长的发丝垂在我的手臂上，我能闻到她头发里的芬芳。

“你还记得你当时对我说的话吗？”

胡博士哈哈笑起来，好像我那时候说的话他记得，我自己却不记得了。

“你问我：‘罗老师，我长大了的时候，你还会不会穿白裙子？还会不会留长头发？’我说：‘你长大的时候，我已经老了。’你说：‘我不准你老，我要你穿着白裙子，留着长头发，等我长大了，我要和你结婚。’我当时觉得你这个小男孩特别有意思，就让你坐在我的裙子上，照了这么一张相。”

胡博士看着我笑，很好玩似的。我却觉得一点都不好玩，他还当我是小孩子，可我早就不是小孩子了。

从罗老师家出来，心里头怪怪的，这种心情是很难名状的。这种时候，特别想见的人是精豆豆。他总能帮你化解开去，而且帮你化解了，他自己却什么都不知道，他的有趣就在于此。

“哥们儿，我就知道你要来。”精豆豆永远按自己的逻辑在思维，“我给你打电话，你不在，我想你肯定上我家来了，来告诉我你报考哪个学校是不是？”

我只好顺着精豆豆的话说，我说我报考一中。

“我也报考一中，哥们儿指哪儿咱兄弟跟哪儿。”精豆豆学他妈说话的样子，“我妈说啦：你就跟着吴缅，人家吴缅什么都好，长大肯定有出息，有他管着你，我放心。”

我问精豆豆这几天在干什么？他说他爸叫他看一本

书《少年维特之烦恼》。

“你爸怎么想起让你读这本书？”

精豆豆说：“我爸嫌我一天到晚嬉皮笑脸，他叫我好好读读这本书，学学人家少年维特是怎么烦恼的。”

幽默，精豆豆一家真是幽默之家。

我把《少年维特之烦恼》丢在一边，对精豆豆说：“你还是好好地准备吧，考一中是很难考的。”

“重在参与，关键是拼搏！”

这些豪言壮语，精豆豆从来都是信手拈来，不花力气的。

从精豆豆家出来，刚才心中那团不可名状的东西已被精豆豆化解了，少年吴缅之烦恼就像那本《少年维特之烦恼》一样，被扔到一边去了。

燃眉之急同舟共济

7月8日　星期四　阴转晴

好久没有吹我的萨克斯了，这几天我可得好好练练，一中的管弦乐队除了看考级的证书外，还要进行一次测试。

吹完一首《月亮河》，再接着吹《卡萨布兰卡》。刚吹到一半，电话铃响了——是冉冬阳打来的。

“吴缅，你到底报考哪所学校呀？”

“一中。”我希望冉冬阳也报考一中，“你想试试吗？”

“男孩子读一中比较好，女孩子读外语学校比较好。”

“是不是因为外语学校出了个刘亦婷？”

“有一点儿。”

“还有莫欣儿？”

“有一点儿。”冉冬阳说，“吴缅，我听说今年报考外语学校的人特别多，竞争特别激烈，你说我行吗？”

“行！”

这个时候，我只能说“行”。

“冉冬阳，记得你在四年级时的那次演讲吗？你在台上表现得特别自信，连五年级、六年级的选手都败给了你……”

“可是，听说去年外语学校出的数学口试题中，有一部分是奥数题，你知道，我没有学过奥数呀。”

冉冬阳知道我从小学三年级起，就在上奥校，还得过奥数竞赛的二等奖，我可以帮她。我让冉冬阳马上到我家里来。

立刻放下萨克斯，翻箱倒柜地找起来。我想把过去做过的奥数题找出来，圈一些典型的题型给冉冬阳做，时间这么紧迫，关键是把解奥数题的思维方法教给她。

门外响起脚步声，轻轻的，“梦露”和“贝多芬”争先恐后地扑到门前，欢叫起来——冉冬阳来了！“梦露”和“贝多芬”在冉冬阳家住了几天，连她的脚步声也能听出来了。难怪人们喜欢养狗养猫，它们是最有情有义的动物。

冉冬阳抱了“梦露”，又抱“贝多芬”。

“‘贝多芬’的病好了吗？”

“好啦。鲁肥肥给它看的病，饿它三天，病全好啦！”

“哦，对不起，‘贝多芬’！”冉冬阳用她的脸去亲“贝多芬”的脸，“我不该给你喂那么多东西。”

当冉冬阳知道精豆豆和古龙飞要追随我去报考一中，她觉得他们两个都有点悬。

“不如把他俩都叫来吧！”冉冬阳说，“反正只有一天时间了，我们一块儿同舟共济吧！”

半个小时以内，古龙飞和精豆豆都来了。两个家伙碰在一块儿，免不了有许多废话要说。

“废话少说！”冉冬阳把他俩分开，搬了把椅子坐在他俩中间，“你俩说了6年还没说够呀？从现在起，你俩谁也不准讲话，听吴缅讲。”

我家有一块小黑板，是平时我和妈妈互相留言的，现在派上用场啦！我把那些典型的奥数题写在上面，让他们先提出问题，我再讲，他们都觉得挺有趣的，比平时上课还认真。

中午，就在我家吃的午饭。冉冬阳说她会做“扬州炒饭”，我们三个男生都要争着给她当下手。

精豆豆涎着脸皮问：“冉冬阳，你在我们3人中挑吧，挑谁是谁。”

“你我一边玩去吧！”古龙飞阴阳怪气，“冉冬阳肯定挑吴缅。”

“你们3个我都要！”冉冬阳马上给我们分派任务，“吴缅打鸡蛋；古龙飞切火腿肠和切葱花；精豆豆剥西红柿皮。”

“Yes，遵命！”

我们都想在冉冬阳那里挣个优良表现。我卖力地打着鸡蛋，冉冬阳说至少要打100下，我不敢打99下；古龙飞把火腿丁切得方方正正，恨不得用尺子来比着切了；精豆豆笨手笨脚剥了半天西红柿，才剥下一点点皮来。冉冬阳抿嘴一笑，从精豆豆手里把西红柿拿过来，用水果刀的刀背在上面刮了几下，然后又还在精豆豆的手上。

“你再撕撕看！”

精豆豆一撕一大片，只几下就把西红柿皮撕得干干净净。

“嘿，神了！”

精豆豆挠着脑袋瓜，百思不得其解。

当我们三个“小工”把备料的活儿都做好之后，大师傅冉冬阳系上我妈的围裙，闪亮登场了。她在热锅里倒上色拉油，把我调好的蛋往锅里倒了三分之二，剩下三分之一在碗里。等蛋浆在油锅里爆出一团膨松的黄来，再倒下米饭、火腿丁和一筒罐头青豆，很快地翻炒，在起锅的时候，撒上葱花，分盛在4个盘里。

“哇，香死人了！”

精豆豆耸着鼻子，他的鼻尖儿都快拱进炒饭里去了。

古龙飞像欣赏一件艺术品一样，在欣赏那盘炒饭。

“多么漂亮的炒饭啊！白的白，红的红，黄的黄，绿的绿……冉冬阳啊冉冬阳，你叫我们怎么舍得把这么漂亮的饭吃下去呀？”

在他们贫嘴的时候，冉冬阳又做好一盘蒜茸黄瓜和一盆西红柿蛋花汤。

这顿饭吃得好爽！

吃完饭后，继续上午的学习。内容越多，时间过得越快。不知不觉已是黄昏，今天无论如何得结束了。几个人都感觉在一块儿学习的效率比自个在家学习的效率高多了，商量着明天还到我家来。

世界上最棒的儿子

7月9日 星期五 阴

刚起床，老爸的电话就来了。天亮的时候，正是他结束工作的时候，我敢肯定这时他正从暗房里出来。

“儿子，报考哪所学校你决定没有？你先别说，让我猜猜，一中？”

“老爸，你怎么猜到的？”

“你是我的儿子嘛，知子莫如父。”老爸有些得意，“一中有很棒的管弦乐队，有很大的足球场，如果换了我，我也会选择一中的。”

从藏区回来，老爸就一头扎进暗房里去折腾他拍的那些照片，我和他各忙各的，连个电话都没打。其实这几天，老爸比我更辛苦，晚上在暗房里，白天跑学校，他把几所改制学校了解得比我更清楚，更详细。可是，他没有跟我说，他不想用他的观点来影响我，而且，他非常自信，相信我的选择和他的选择会不谋而合。而这几天，我也没想到过要去征求老爸的意见，因为我也非常自信，无论我做出什么样的决定，老爸都会支持我的。

“儿子，考一中有把握吗？”

我说：“百分之八十吧！”

“你应该有百分之百的把握。”老爸的语气不容置疑，“吴缅你知道吗？你是世界上最棒的儿子！”

挂上电话，我想我再没什么话可对老爸讲的了，我只想努力地做好一切，努力地做老爸的“世界上最棒的儿子”。

妈妈递给我一大杯牛奶。妈妈对我什么都放心，惟一不放心的是每天早晨的这一大杯牛奶，她要看着我把这一大杯喝下去了，这一天她就可以放心了。妈妈希望我长得帅气一些，她坚信牛奶里丰富的VA和VD，能使我长得更高、更挺拔。

为了让妈妈高兴，我故意把牛奶喝得咕咚咕咚响。

“刚才是你爸爸的电话？”

妈妈从来不问我和老爸通话的内容，但我每次都主动给她讲。

“老爸说我是世界上最棒的儿子。”

妈妈轻轻地搂住我，在我的耳根上亲吻了一下。小时候，妈妈就喜欢亲我的耳根，现在我长大了，她还是喜欢亲我的耳根。在妈妈的心目中，再大的孩子，都是她亲爱的小宝贝。

吃过早饭，妈妈上班去了。冉冬阳、古龙飞和精豆豆脚跟脚地都来了。

今天，我的情绪特别好，他们一来，我就高声宣布：“兄弟姐妹们，今天是我们最后冲刺的一天，来，世界上最棒的古龙飞、世界上最棒的精豆豆、世界上最棒的冉冬阳、世界上最棒的吴缅——加油！”

“先给世界上最棒的精豆豆加点吃的吧！”精豆豆有气无力地说，“一起床就往你这里赶，现在肚子空空如也。”

“我的肚子也空空如也。”

古龙飞的两个眼珠子滴溜溜乱转，像个饿死鬼，看见餐桌上还剩了一片面包，抓过来就吃。

“给我留一口！”

等精豆豆扑过去，古龙飞已把一大块面包片全塞进了嘴里，噎得直伸脖子。

冉冬阳笑得眼泪都出来了。她一笑，就要流眼泪。

我打开冰箱，端出一大块水果蛋糕。精豆豆左手一把刀，右手一把叉，很绅士地吃起来。他问冉冬阳吃不吃？冉冬阳说她要吃就只吃蛋糕上的水果片儿。精豆豆真的把蛋糕上的水果片儿都挑给了冉冬阳。古龙飞说他也只吃蛋糕上的水果片儿。精豆豆十分干脆地回答他“办不到”。

“为什么冉冬阳吃就行，我吃就不行？”

“冉冬阳是谁？你是谁呀？”精豆豆做了一个十分夸张的抒情动作，“我愿意把世界上最好的东西，都献给她吃。”

古龙飞正准备反击，冉冬阳已把一大块菠萝片儿塞进他的嘴里，古龙飞什么话都说不出来了。

“都别耍嘴皮子了，呆会儿有你们说的时候。”

冉冬阳帮我挂上小黑板：“吴缅，我们开始吧！”

题都是昨天晚上精心挑选出来的，每一种题型我只给他们指引思路的方向，他们把各自解题的过程口述一遍，大家发表意见，看谁的方法最好，最简便。到下午结束时，他们基本上都能将几种题型举一反三了，我想临时抱佛脚，也只能这样了。再说是不是要考奥数题，也不一定。但我们都要去过口试这一关，这两天的口头讨论，应该说给我们每个人都增添了不少的实力。

他们走后，正准备做饭，妈妈打电话回来，让我不用做饭，她买汉堡包回来。还让我洗个澡，换件干净的衣服，说晚上要带我去参加一个聚会。

妈妈也真是，明天就要去一中参加管弦乐队的考试，今晚还带我去参加什么聚会。我想不去，晚上在家好好地练几首曲子。

妈妈提着两个汉堡包回来了。一进门她就催我快吃，吃完了又催我洗澡换衣服。

“妈妈，你知不知道我明天要去一中考乐队？”

“就因为你明天要去考，我才让你今晚去参加一个晚会，表演吹萨克斯，机会难得，快一点！”

我很快地洗了澡，妈妈让我穿上一件白底蓝条的短袖衬衫，还找出一条深蓝色的领带让我系上。

“干吗这么正规？”

“这是起码的礼节，也是对主人的一种尊重。”

我问妈妈：“主人是谁啊？”

“是一个大学里的教授。他有许多学汉语的外国留学生，今天的晚会就是为这些留学生开的。”

说话间，妈妈也已经打扮好了，她换上一条紫色的真丝长裙，把头发松松地挽在脑后，还化了淡妆。平日里见惯了妈妈的休闲打扮，现在这个样子，真是光彩照人！

来到教授的家，已经是宾朋满座，好像五洲四海的人都来了，黑皮肤、白皮肤、黄皮肤，黄头发、黑头发、红头发，色彩缤纷。

我以为有这么多洋学生的教授一定是个戴眼镜的、头发有些花白的老先生，结果这位教授是戴眼镜的，只是头发并不花白，黑油油的，最多是个中年教授。

“这是我儿子吴缅。”妈妈把我介绍给教授，“这是傅叔叔。”

“你好，小伙子！”

傅教授和我握握手，然后把我介绍给那些五颜六色的留学生。

“你好，好漂亮的小伙子！”

“小帅哥，认识你很高兴！”

虽然来自五洲四海，因为他们都是学汉语的，所以都能说几句普通话。

五洲四海的人一边随意地喝着饮料，一边听我吹萨克斯。

我先吹了一支大家最熟悉的萨克斯经典名曲《回家》，立即赢来了一阵热烈的掌声和口哨声。

接下来，是《人鬼情未了》和《卡萨布兰卡》，这两首回肠荡气的曲子把五洲四海的留学生听得如痴如醉。当我吹起《魂断蓝桥》时，五洲四海的留学生们成双成对，翩翩起舞，妈妈也和那位傅教授优美地旋转起来。

晚会结束了，五洲四海的人都来和我握手道别。

“小伙子，你的音乐太棒了！”

“谢谢你，这个晚上我们过得很愉快！”

有位漂亮的金发姑娘，她突然抱住我，在我的脸上很响地一边吻了一下，唱歌般地说了句：“盖帽了！”

我和妈妈是最后离开傅教授家的。他把我们送出校园，分别的时候，他对我说：“你的音乐感觉非常好，特别是那支《卡萨布兰卡》，在你这样的年龄，能有这么到位的理解，真是难为你了。”

我在吹《卡萨布兰卡》

真的要感谢妈妈带我来参加这个晚会。对于明天的考试，我充满了信心。

面试

7月10日　星期六　晴

我没有想到，来考一中管弦乐队的人这么多。大提琴、小提琴、长号、小号、圆号、萨克斯，大礼堂都坐满了，还有人源源不断地在来。

怎么会有这么多人？而且大人居多，一看，几乎所有的孩子都是家长陪着来的，不仅是妈妈爸爸来了，有的连爷爷奶奶也来了，甚至还有叔叔舅舅姨妈都来了的。一个孩子，几个大人陪着来，人怎么会不多？

我是自己来的。早晨来的时候，妈妈只是问了句：“你自己去，没问题吧？”

“没问题，妈妈！”我让妈妈把耳朵伸过来，“你的儿子是世界上最棒的儿子！”

我就这样，一个人骑着自行车来了。

已经上午10点了，才叫到我的考号。

一个老师把我带到二楼的音乐厅，里面坐着六七个人，他们的表情都很严肃，不声不响地看着我，气氛跟昨天的晚会完全不一样。

我准备了两首曲子：《卡萨布兰卡》和《爱情故事》。

我吹《卡萨布兰卡》时，我发现那些人麻木的表情开始生动起来，然后是沉醉，中间那位好像是什么权威人士，居然把眼眯了起来。

一曲完后，权威人士睁开眼睛看着我微微点了点头，然后向他左右两边的老师低声地说了几句什么，只见那两位老师也在微微地点头。权威人士对我说：“下面的曲子你不用再吹了。”

我把萨克斯收进盒子里，从音乐厅里走了出来。

外面有一棵很大很大的树，太阳透过密密的枝叶，洒了一地细碎的阳光。细碎的阳光像金子，金子在熙熙攘攘的人群里晃动。

"嗨，嗨，吴缅！"

精豆豆不知在什么时候，蹿到我的跟前。

"哥们儿，吹得……怎么样？"

"不怎么样。"我说，"你面试没有？"

"没有。"

"那你还到处乱跑！"

"没事儿，哥们儿胸有成竹！"

精豆豆挺了挺他那没肉的胸脯。

我陪精豆豆向考场走去，他的爸爸妈妈正满头大汗地在找他。一看见他，他爸过来就揪住他的耳朵："野到哪儿去了？人家都进去了！"

这是一个很大的阶梯教室，已经有几百个考生在里面了，外面是他们的父母，都拼命地想挤到窗前来，生怕他们的孩子从他们的视线里消失了。学校把考生集中在这里，就是想把考生和他们的父母隔离开。身体隔开了，视线是没法隔开的，还可以"眉目传情"呢！精豆豆这时候嬉皮笑脸地跟精爸精妈做怪相，精妈拼命地向他摆手，精爸恶狠狠地向他挥舞拳头。看他们一家三口的表演比看喜剧小品还精彩。

等到中午快12点了，精豆豆才被叫到考室里去。又过了40分钟，精豆豆从考室里出来了，大摇大摆，完全是一副凯旋将军的样子。

精爸精妈飞扑过去，一人拉住精豆豆的一只胳膊，恨不得把他瓜分了。

精妈问：“儿子，考起没有？”

“考起了！”

“吹牛！”精爸一巴掌拍在精豆豆的后脑勺上，“你怎么知道考起了？”

精豆豆说：“我回答问题的时候，那两个老师都对我笑。当然是我答得好，他们才笑。”

“就是，就是。”精妈比精豆豆更高兴，“走，我们去肯德基庆祝庆祝，吴缅也去！”

走到校门口，看见乔丹，他正要钻进他爸爸的小车里。

“乔丹！”

乔丹回头见是精豆豆，非常夸张地惊讶道：“怎么，精豆豆，你也来考一中？”

“怎么我就不能来考一中？”

精豆豆针锋相对。

“佩服！佩服！”

乔丹的嘴歪着嘲讽的笑，钻进了车里。

“阴阳怪气！”精豆豆骂道，“这小子一贯门缝里看人——把我看扁了！”

一中的附近就有一个肯德基店，挑了一张可以坐四个人的桌子坐下。

精爸精妈风风火火地去买汉堡包了。精豆豆坐在那里东张西望，神采飞扬。我有点担心地问他今天面试的时候，老师问了些什么问题。他一脸茫然地看着我，说不记得了。

“你的记性也太差了，怎么刚考过，就不记得了？”

“没劲没劲，吴缅你太没劲了！”精豆豆一副痛心疾首的样子，“在吃肯德基的时候，永远不要跟我提那些考试之类的话题。”

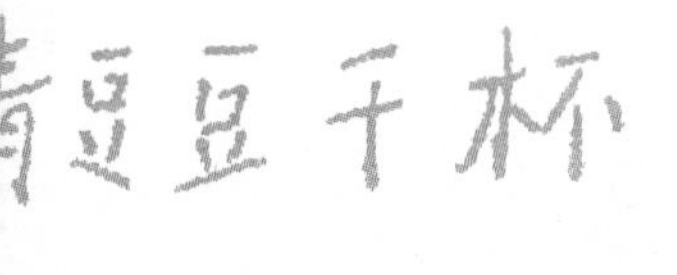

精爸精妈端来的汉堡包、炸鸡翅、炸鸡腿、蔬菜沙拉、土豆条、奶油玉米棒、巧克力奶昔、草莓奶昔、可口可乐、冰红茶、热红茶，摆了满满一桌子。精爸精妈一次又一次地为精豆豆干杯，干了多少次杯，我已记不清了。我真佩服他们，每一次干杯，他们都能说出许多祝贺的话来，而且，没有一句是重复的。

精豆豆突然把手中的可口可乐往桌上一蹾："从此以后，随便我怎么玩，你们都不许管我！"

"不管，不管！"精妈妈巴结道，"都考上一中了，还管什么管？"

我觉得这一家子真是好玩，跟他们在一起，每一分钟都是快乐的。

帅哥的重托

7月11日 星期日 晴

虽然昨天已参加了一中的管弦乐团的考试，但仍然还要参加一中的统一面试。

我的考号在前面，还不到10点，就面试完了。面试的结果只有考我的老师才知道，我懒得去揣摩他们的某一个表情或某一个眼神。像昨天精豆豆那样，以为老师对他笑一笑就是考起了。精豆豆真是天真得可爱，他自己也不想一想，像他那样的喜剧角色，谁见了都会笑的。

终于过了考试的3道关：考毕业，考乐队，考面试，谁再去想考得上考不上，才真的是自己跟自己过不去。

从今天起，我的假日真正开始了！

刚回到家里，电话铃就响了。我以为是鲁肥肥打来的，这几天没见他的踪影，连声音都没听见。

可是，这电话是刘帅——帅哥打来的，我激动得都有点语无伦次了。

“嗨，帅哥，你到成都来了吗？真的是你吗？”

“我不在成都，在昌都。我有个急事儿，想求你……”

“什么求不求的！帅哥，你的事儿就是我的事儿，就是上刀山，下火海，我也去……”

“不用上刀山，也不用下火海，你帮我去送束花儿。”

送花儿？这可是个美差！我问帅哥，把花儿送给谁？

“你还记得给你讲过的我的那位高中女同学吗？明天是她的生日，你帮我送一束百合花给她，记住，一定要送百合花。”

帅哥把他这位女同学的BP机号给了我。

放下电话，又给鲁肥肥去了一个电话，问他在哪里

可以买到百合花？这小子马上在电话里坏笑起来。

“吴缅，你先别说，我准能猜到你送花给谁。”

我说：“鲁肥肥，你就是今晚一夜不睡，你也猜不到这花是送谁的。因为这是别人托我的事情。”

“既然是这样，那我就不猜了。”鲁肥肥正经起来来，“你问我哪里可以买到百合花，真是找错了人。你要去问那些女生呀，比如冉冬阳……”

说到冉冬阳，这小子又坏笑起来。我“啪”的一声挂断电话，真的给冉冬阳去了一个电话，直截了当地问她哪里可以买到百合花。

“我知道有一个花店有卖的。我昨天去这个花店买花，还看见有。”

冉冬阳说这家花店叫“姊妹花店”，就在她家附近，但在一条小巷里面，不是很好找。

我说：“冉冬阳，我必须在明天一早把这束花儿给人家送去，你能不能陪我去买花？”

“没问题！我明早7点，准时在我家大院门口等你。”

冉冬阳就是冉冬阳，爽！

白莉小姐

7月17日　星期一　阴转晴

差5分7点，我骑车来到冉冬阳家的院门口，冉冬阳也正骑车从院子里出来。我忙对她说："对不起！"

"干吗要说对不起？"

"你今天本来可以睡懒觉的。"

"我从来不睡懒觉。"冉冬阳说，"再说啦，我最喜欢买花儿，我们家的花儿都是我买的。"

穿过一条小巷，再拐进一条小巷，

就来到了“姊妹花店”。

一位长得十分好看的年轻女孩正往外走，看见冉冬阳，像熟人般地招呼道：“这么早就来啦？”

冉冬阳停好自行车，径自往花店里走。

“有新鲜的百合花吗？”

“有，有，有！刚到的货，新鲜得很。”

一位年轻女孩递过来一枝百合花让冉冬阳看。我看这位女孩跟刚才我们在花店门口看见的女孩一模一样，心里奇怪：看见她出了门，怎么又在店里呢？

冉冬阳看见我诧异的样子，小声对我说：“她们是双胞胎，刚才出去的是妹妹，在这里的是姐姐。”

花店的姐姐很热情，也很会做生意。她说百合花平时卖的是8元1枝，因为冉冬阳是她们花店的老顾客，而且，我们今天又是花店的开门客，所以她卖给我们只要5元1枝。

百合花都插在一个大木桶里，真的很新鲜，花枝上大部分都是没有开的花苞。冉冬阳选了12枝，双胞胎姐姐用一根玫红的丝带扎成一束。

“太漂亮了！”冉冬阳对我说，“你看这百合花，没有开放的花苞特别含蓄，开放的花朵又特别的飞扬。”

双胞胎姐姐拿出一叠精致的卡片来，问我需不需要在花里放一张卡。

我手足无措，不知道该选一张什么样的卡片放在花里面。

“我来帮你选！”冉冬阳又一次帮了我，“你只要告诉我，这是谁送谁的就行了。”

我说：“是一个当兵的兵哥哥送给他喜欢的一个女孩子，今天是这个女孩子的生日。”

冉冬阳很快地从各种各样的卡片中，选出一张粉红色的心形卡片来：“吴缅，你看这一张是不是很温馨、很浪漫？”

在卡片上写了一行字：生日快乐！然后落上帅哥的名字。

捧着百合花从花店里出来，冉冬阳问我把花儿送到哪儿去？

我也不知道该把花儿送到哪儿去。关于这个女孩子，我只知道是帅哥最喜欢的女孩子，她叫什么名字？家住在哪里？在什么地方工作？我一概不知道。

冉冬阳笑起来：“你什么都不知道，这花儿怎么送呀！”

对了，帅哥给了我一个BP机号，是这个女孩子的。

借花店的电话呼了BP机号码，电话马上回了过来。

“您好，请问谁呼我？”

这声音很好听。

我说：“有人托我给您送花，您能告诉我把花送到

什么地方吗？”

她告诉我了一个地址，冉冬阳马上说她知道这个地方，这是她爸爸设计的一座大楼，目前是我们这个城市最高的一幢建筑物。

不到20分钟，我们就来到了这座大楼里。这座大楼里面有几十家公司。帅哥的女同学在16楼A座。

本来，我们可以把花放在一楼大厅的物管办公室，他们会派人送上去的。但是，冉冬阳说非常想见见这个在帅哥的心目中，是世界上最美丽最可爱的女孩子。

进了电梯，冉冬阳还沉浸在对这个女孩子的想象之中。

“我想这个女孩子肯定是罗老师那种类型的女孩子。”

“是不是因为罗老师在你的心目中是最美丽最可爱的？”

冉冬阳说：“罗老师最喜欢的花儿也是百合花，喜欢同一种花的女孩子应该是同一种类型的。”

我想起那天在罗老师家，她的书桌上的花瓶里真的插着几枝百合花，我也想见见这位也喜欢百合花的女孩子。

电梯到了16楼，门一开，迎面站着一位穿白衣白裙的小姐。

“我是白莉，这花儿是送给我的吗？”

这就是帅哥心目中最美丽、最可爱的女孩子？一张五官很平常的脸，瘦瘦小小的身材，实在说不上漂亮。

我把花儿送到她手中，她从花丛中把那张心形卡片拈出来一看，只见她的眼睫毛轻轻地颤动了一下，嘴角边现出一个很深很圆的小酒窝。这时候的白莉小姐是很好看的。

白莉小姐轻轻地说了声“谢谢”，捧着百合花如云一般飘走了。

从大楼里出来，冉冬阳问我：“你觉得这白莉小姐怎么样？”

我反问她：“你说呢？”

“我说——”冉冬阳偏着脑袋想了一会儿，“这白莉小姐呀，猛一看不怎么样，很一般。但是，看一会儿以后，她是越看越好看，你说是不是？”

我说：“帅哥称这位白莉小姐是世界上最美丽、最可爱的女孩子，我想并不是说她的长相，而是她身上的某些品质……”

“是什么品质呢？”

冉冬阳好像对这位白莉小姐十分感兴趣。

我说：“我跟你一样，不过是第一次见到她，怎么知道她有什么品质？帅哥肯定是知道的，所以他说她是世界上最美丽最可爱的。”

“我明白你的意思了。一个人真正喜欢另一个人，哪怕这个人的相貌在别人眼里是平平常常的，但在他的眼睛里，这个人就是世界上最美丽最可爱的，对不对？”

这个问题似乎很大，很深奥，我从来没有仔仔细细地想过。何况跟一个女生讨论这样的问题，很难做到畅所欲言，幸好我们已经到了该分手的十字路口。

才艺大比拼

7月13日 星期二 阴

暑假的每一天都特别的漫长。这个小学毕业的暑假，我们没有作业，还有十来天，才能收到中学的录取通知书，所以这段时间，是大家最轻松的日子。但是心头并不轻松，牵肠挂肚的，又不敢到外地去旅游，处于一种“丫头子抱酒坛子，睡也没有睡，醉也没有醉”的疲软状态。

还没吃早饭，门铃就响了，响得

很急。开门一看，是鲁肥肥来了。他红光满面，喜气洋洋，就像有什么喜事降临在他的头上。

“吴缅，你没忘记今天莫欣儿请我们吃饭吧？”

“我记得莫欣儿请我们吃的是午饭，不是早饭吧？你这么早就来了。”

“早去总比晚去好。”

我问鲁肥肥，莫欣儿为什么要请我们吃饭？

“管她呢！”鲁肥肥脑袋一摆，“别人请我吃饭，我从来不问为什么。再说莫欣儿是一个喜欢制造悬念的人，我们又何必去钻她下的套呢？”

吃完早饭，我和鲁肥肥刚要出门，表妹姚诗琪来了。

“怎么，看见我来了，你们就要走，不欢迎我呀？”

“哪里，哪里，我们不知道你要来。如果知道你要来，我们就不走了。”

鲁肥肥曾经在我们家见过几次诗琪，他说诗琪是为数极少的说得上既漂亮又聪明的女孩。比如我们班的美女沙丽，漂亮但不聪明；又比如我们班的才女莫欣儿，聪明但不漂亮。而姚诗琪既有莫欣儿的聪明，又有沙丽的漂亮，所以鲁肥肥对她有特别的好感。

鲁肥肥的几句恭维话，说得姚诗琪非常舒服。

“现在我来了，你们可不可以不走了呢？”

“不可以。”我说，“我们要到一个女生家里去，早就约好的。”

“这个女生是不是冉冬阳呀？”诗琪说话的语气怪怪的，“把我也带去吧，我真的很想认识冉冬阳。”

“我们今天要去的不是冉冬阳的家，是莫欣儿的家，不过冉冬阳今天肯定也要去的。”鲁肥肥把我拉到一边，小声说，“我们把她带去吧！”

来到莫欣儿的家，我们并不是来得最早的，冉冬阳来得最早。

鲁肥肥赶紧把冉冬阳推到姚诗琪跟前：“我现在向你隆重推出——冉冬阳，这位是吴缅的表妹姚诗琪。”

“你好，很高兴认识你！”

冉冬阳十分大方地向姚诗琪伸出一只手。

诗琪只是象征性地拉了拉冉冬阳的手，扬起下巴，样子有些傲慢：“哦，你就是冉冬阳？”

幸好冉冬阳不是那种小心眼儿的女孩子，不知道她是没有感觉到还是没有在乎姚诗琪对她的不友好。

莫欣儿的家很漂亮，客厅的落地窗处放着一架台式钢琴，姚诗琪径直走过去，坐在琴凳上，弹了一首曲子。

一曲完后，冉冬阳使劲地鼓掌，一脸钦羡的表情。当然，鲁肥肥鼓掌鼓得更响，我想他的手已经拍红了。姚诗琪的嘴角挂起一丝嘲讽的笑，其实这样的一支曲

子，对她来说，真是小菜一碟。

姚诗琪扭过头来问冉冬阳：“你会弹琴吗？”

冉冬阳说她不会，莫欣儿会。

姚诗琪从琴凳上站起身来，对莫欣儿做了个“请”的手势，大有一比高低的架势。但莫欣儿比冉冬阳有心眼儿，她已看出了姚诗琪的不友善，她并不接招。

“我今天要露的不是这一手，是另一手。”

我们问是哪一手？莫欣儿笑而不答，她说等人来齐了，她才宣布。

过了一会儿，莫欣儿要请的人差不多都来齐了，罗老师带着她的男朋友胡博士也来了。

莫欣儿宣布道：“我和刘杨惠子今天要举行一次才艺大比拼，在20元钱以内，做出三菜一汤，菜品里必须有鸡鸭鱼肉，今天在座的都是评委。”

大家欣喜若狂，鲁肥肥更是欢喜得差点晕了过去。

“这类活动应该多搞，最好天天搞。”鲁肥肥指点着沙丽和冉冬阳，“下回，你们俩也来一次这样的大比拼，怎么样？”

沙丽说：“可以呀，可是我们不会请你做评委的。”

“为什么不让鲁肥肥做评委？”姚诗琪站出来为鲁肥肥打抱不平，“如果你要和冉冬阳搞什么大比拼，只有吴缅是不能做评委的，因为他肯定偏向冉冬阳。”

姚诗琪真是语惊四座，她在任何地方都不甘寂寞，我不明白她为什么那么嫉妒冉冬阳，真后悔今天把她带来。都怪鲁肥肥！

从厨房传来锅碗瓢盆声，莫欣儿和小魔女轮番地把做好的菜端上来，这时候，最激动的是鲁肥肥，开始摩拳擦掌。

小魔女做的菜放一边，莫欣儿做的菜放另一边。小魔女报出她的第一道菜是“凤爪踏青”。十来只泡鸡爪放在几片蚝油生菜上，半斤鸡爪3元，半斤生菜0.8元，这道有鸡的菜一共是3.8元；第二道菜是“碧野黄花”，咸蛋黄炒豌豆荚，咸蛋是鸭子生的蛋，这道菜算是有鸭的菜，两个咸蛋1.6元，半斤豌豆荚1元，这道菜一共是2.6元；第三道菜是“鱼池藏玉”，其实就是鱼头豆腐汤，一个鱼头3.8元，一块豆腐0.6元，这道有鱼的菜一共是4.4元；第四道菜是“蚂蚁上树”，就是烂肉炒粉丝，二两牛肉1.3元，四两干粉丝1.8元，这道有肉的菜一共是3.1元。小魔女做的“鸡鸭鱼肉”4个菜总费用是13.9元。

“不可思议！不可思议！”胡博士就像发现了奇迹，“这样几个菜如果在北京吃，起码要100元呢！”

该莫欣儿报菜名了。

第一道菜是“迎风展翅”，一盘黄瓜片整齐地向一个方向倒去，就像风吹倒似的，上面摆着两排卤鸡翅

膀，半斤鸡翅3元，1斤黄瓜0.5元，这道有鸡的菜一共是3.5元；第二道是“八鸟闹春”，青辣椒、红辣椒炒鸭舌，半斤青椒红椒1元，八根鸭舌头2.6元，这道有鸭的菜一共是3.6元；第三道菜是“银装素裹”，白油熘鱼片，半斤鱼肉2.4元，这道有鱼的菜一共是2.4元；第四道菜是“翡翠龙眼”，这是一道汤菜，丝瓜段中间掏空了，塞上肉馅，就成了龙眼，把碧绿清澈的汤比喻成翡翠，也是说得过去。1斤丝瓜1元，二两猪肉馅1元，这道有肉的菜一共是2元。莫欣儿做的“鸡鸭鱼肉”4个菜，总费用是11.5元。

莫欣儿的费用比小魔女的费用更少，胡博士只有对罗老师说：“你的学生真是太厉害了。”

大比拼设4个奖：菜名奖、味道奖、营养奖和精打细算奖。

“菜名奖”的评委由罗老师担任。她说小魔女有一个菜名最好，“鱼池藏玉”，白色的豆腐在浓浓的鱼汤里若隐若现，这个菜名取得十分贴切；但是“蚂蚁上树”是大家都知道的菜名，就没有什么新意了。莫欣儿的“迎风展翅”非常具有想象力，她用一顺摆的黄瓜片比喻成风；“八鸟闹春”，把鸭舌和“闹”巧妙地连在一起，红红绿绿和“春”连在一起。总的说来，莫欣儿的四个菜的菜名都不错，莫欣儿获得了菜名奖。

“精打细算奖”不用请评委了，一目了然，小魔女用去13.9元，莫欣儿用去11.5元，莫欣儿获得“精打细算奖”。

胡博士自告奋勇地要做“营养奖”的评委，他说他对营养学有研究。把桌子上的菜仔细地研究了一会儿，认为小魔女配菜配得比莫欣儿的好，不仅有蔬菜，有肉类，还有豆制品，营养成分齐全。而莫欣儿的配菜里没有豆制品，这可是全世界都正在流行的健康食品，怎么能少得了这一样呢？不容置疑，小魔女获得了“营养奖”。

最后剩下“味道奖”了。这个评委由谁来当呢？鲁肥肥做出一副非他莫属的样子，可是大家都不同意，都说：“你一个人的口味儿怎么能代表我们的口味儿呢？”

结果是所有的人都是“味道奖”的评委。拿起筷子把两个人的菜都尝了，真可谓“众口难调”，一些人说小魔女做的菜咸了，一些人说莫欣儿做的味精放得太多，鲁肥肥一锤定音：真正的大厨师做的菜是不放味精的。结果，“味道奖”就落在了小魔女的头上。

小魔女获得两个奖，莫欣儿获得两个奖，二比二，谁胜谁负？

有人提议再加一个奖项，鲁肥肥坚决反对，他说这次拼个平手，下次再拼——这小子还想吃下一次呢！

外婆心中永远的外公

7月14日　星期三　晴

在这个世界上，让我最忘不了的地方是外婆的老屋。我是在老屋里长大的，一直到读书时才离开这里。外公已在两年前去世了，老屋里只有外婆和一只老猫做伴，这只老猫的年龄大约比我还大，如今它的皮毛已失去了光泽，行动迟缓。

每当我推开那扇已剥了漆的院门，老猫就会从屋子里迎出来，带着我往厨房里走，外婆正在厨房里为我煎葱油饼，满院子都是葱花儿香。

四方的饭桌，正对门的那个座位是外公在世时坐的，现在还给他留着。一日三餐，都要在外公坐的那一方，摆上一副碗筷，早餐在碗里放一个外公喜欢吃的小笼包子；中餐夹一块两面煎得焦黄的熊掌豆腐，这也是外公最爱吃的；晚餐的时候，空碗里会盛上半碗红豆粥。

今天外婆熬的是绿豆粥。她舀了半勺在外公的碗里，按以往的习惯，我恭恭敬敬地说道："外公，请吃饭！"

"别，别！"外婆向我摆手，"粥还烫着呢，等凉一会儿再请外公。"

我吃着葱油饼，外婆握一把芭蕉扇，缓缓地扇着外公的那碗粥。扇了一会儿，外婆用手背挨挨那碗，说："不烫了。缅儿，现在可以请外公吃饭了。"

我恭恭敬敬地说："外公，请吃饭！"

外婆又对老猫说："猫儿，请老爷爷吃饭。"

蹲坐在饭桌另一方的老猫"喵"地叫了一声，算是请了。

外婆把碗端起来，朝外公平时坐的那个方向说了声："老头子，请了！"

两年了，每天如此，每餐如此。

“缅儿，昨天晚上我又见到你外公了。”

“外婆，您是做梦了吧？”

“真的见到了，你看！”

外婆把她的手伸给我看，我看见她的手背上有几道红痕，像被人用力地握过留下的印迹。

“你外公一直握着我的手，对我说了好多好多的话。”

尽管我知道外婆叙述的完全是一种幻景，但我必须做出信以为真的样子：“外公对您说什么了？”

“你外公说，老猫太老了，要在它的饭里拌点钙片粉。他说老猫的左前腿有点跛了。”

我让老猫下地走走，左前腿果然有点跛，前几天我来的时候，它的腿还是好好的，是不是在哪里摔的？

外婆说：“猫老了，就像人老了一样，骨质有些疏松，所以你外公让我给它补补钙。”

外婆讲起外公来就神采奕奕，仿佛一下子年轻了许多。她滔滔不绝地说着外公，就像外公从来不曾离开过我们，天天都生活在她的身边。

我问：“外公向您说起我没有？”

“说起了！说起了！”外婆说，“你外公问：缅儿是不是考的一中？我说是考的一中。你外公说，一中好，一中好，一中是个出人才的地方，缅儿能读上这个学校，我就放心了。”

有外公在天之灵的保佑，但愿我真的能考上一中。

“你外公还说了，我们家的那盆昙花要在今晚的8点开。”

是吗？现在已经是7点40分，再过20分钟就可以看到昙花开还是不开。

外婆、老猫和我都来到院子里，有香味的花都在夏夜里开放了，七里香、胭脂花、茉莉花，满院子都是花的芬芳。

那盆昙花放在窗下，几颗花苞藏在肥厚的绿叶间，现在还看不出有开花的迹象。

外婆让我把花盆搬到客厅里外公的遗像前，她坚信：昙花一定会在8点开。

“当！当……”

墙上的挂钟敲了8下，也许就在我眨眼睛的那一瞬间，那几颗花苞变成了几朵怒放的昙花。

信也罢，不信也罢，外婆家的那盆昙花，真的就在8点钟开放了。

我和妈妈要回家了。妈妈让外婆早点休息，外婆说：“我和你爸爸再看一会儿昙花！”

就像外公生前一样，外婆和外公脸对脸，在凉风习习的夏夜里赏着昙花。

妈妈为外婆轻轻地关上房门。

外婆家离我们家不是很远，我和妈妈决定散步回

去。

妈妈挽着我的手，从路边草坪的小径走过。

“每次到你外婆家去，我都有一种亦真亦幻的感觉，总觉得你外公还活着。”

我说：“外公去世的时候，外婆并不像你和舅舅那样悲伤，是不是因为她不肯相信外公已经离我们而去？”

“像你外婆和外公一辈子这样相亲相爱多好啊！”

妈妈一脸无限神往的表情。

“我们班上有许多同学的父母都离婚了，为什么他们不能像外公和外婆那样相亲相爱一辈子呢？”

“这是一种缘分，可遇不可求。”

妈妈从神往中回到现实中来，有些忧伤，有些无奈——她和爸爸也是离了婚的。我很抱歉在这么美好的夜晚，跟妈妈谈到这个既沉重又复杂的问题。

妈妈是个美丽的女人

7月15日　星期四　阴间多云

突然这几天，我们家刮起了一阵健美风暴。妈妈买回一台健骑机，每天至少要骑300个；又买回一盘健美操的录像带，每天跟着图像和音乐跳上40分钟；晚上，还要我按住她的双脚，在地板上做60个仰卧起坐。

我问妈妈："你在减肥吗？"

妈妈说："我又不肥，我减什么肥？"

“你天天这么折磨自己，是为了什么？”

“你以为健身就是减肥呀？”妈妈用毛巾擦着她脸上的汗水，“其实健身最大的功效是使人年轻。”

妈妈做完60个仰卧起坐，站起身来，问我：“你看我是不是要年轻一些了？”

看不出来。妈妈本来就是一个不怎么看得出年龄的人，她不像精豆豆的妈妈和鲁肥肥的妈妈，一个特别特别的瘦，一个特别特别的胖，头发都烫成小卷卷儿，穿的衣服也是那种四平八稳、有棱有角的，一看就是中年妇女。妈妈不胖不瘦，永远是长发中分，在脑后别一个木质发卡。妈妈喜欢穿牛仔裤或是棉麻的长裙，手腕上还喜欢戴手镯，不是一个而是几个戴在一起，这是妈妈的打扮最有特色之处。

“算啦，小男孩根本就不会看。”妈妈过来和我一块儿坐在地板上，“最近去看过你们罗老师没有？”

我说：“看过了，还看到了她的男朋友。”

“哦，你们罗老师有男朋友啦？”妈妈有些迫不及待，“快说说，那个男朋友怎么样？”

“不怎么样。”我没好气道，“长得一点都不帅，别说跟舒昂老师比，就是跟我老爸比，也比不过。跟罗老师站在一块儿，怎么看都不像。”

“唉，你们这么大的男孩子，就知道以貌取人。”妈妈突然问起另一个人来，“你觉得傅教授怎么样？”

“哪个副教授？”

“就是上次我带你到他家去吹萨克斯……”

“哦，那个人呀！”我想起来了，“那个人嘛，还可以。”

“他很想和你交个朋友，你愿意吗？”

“跟我交朋友？”我看着妈妈，妈妈的眼光有些东躲西闪的，我警惕起来，故意刁钻道，“他都那么大的年纪了，还跟我交什么朋友？”

“他说你的萨克斯吹得相当不错，他也喜欢音乐。”

一想到这个人可能会成为妈妈的男朋友，我就想在

这个人的身上挑挑毛病。可是，他好像又没什么毛病，只好鸡蛋里面挑骨头了。

“他怎么才是个副教授啊？”

“他是正教授。”

看着妈妈一本正经地为这个人辩解，我心里觉得好笑，但又有些酸溜溜的，话就说得更刻薄了。

“真的是副教授，还可能升做正教授。像他这样姓傅，只能一辈子被人叫做‘副’教授了。”

“吴缅！”妈妈生气了，“你什么时候变得这样刻薄？”

“母亲大人，息怒！息怒！”

我单腿跪在地板上，双手抱拳，做了一个谢罪的姿势，妈妈“扑哧”一声笑了。

“怎么样，约个时间，跟这位傅教授见见面？”

我说：“让我考虑考虑吧！”

鲁肥肥的奇谈怪论

7月16日　星期五　晴

今天一起床，就想去见老爸，也许是因为那个傅教授吧。

大约有一个星期没有见到老爸了。从藏区回来后，他就一直在忙。老爸的摄影展定在8月下旬在市美术馆举行。同时，还要出一本摄影集，所有的事情都集中在这一段时间里了，老爸忙得眉毛胡子一把抓，每天最多能睡上两三个小时。

昨天妈妈炖了排骨藕汤，我用一个保温罐装了一罐子，给老爸送去。

已经上午9点钟了，老爸工作台上的台灯还亮着，他的眼睛里布满了红丝，工作台上撒满了黑白的、彩色的照片。不用说，老爸又熬了一个通宵。

看见我来了，老爸一边伸懒腰，一边打哈欠。

“儿子，几点了？”

“还没吃早饭吧？”我把工作台上的照片挪一挪，空出一块地儿来，放上保温罐，“吃吧，排骨藕汤。”

老爸稀里哗啦地喝着藕汤，他说岂止是今天没吃早饭，连昨天的晚饭都没吃呢！

我真想为老爸做点什么。

“我想想还有哪些事要做呢？”

吃饱喝足，老爸把头靠在椅背上，双眼微闭：“照片都出来了，要装画框，画框还没做；那些反转片是用来编书的，唉，就是编书这事比较麻烦，版式设计，封面设计，还要配文字……”

我说：“编书的事儿，你找我妈呀！”

“你妈妈最近忙不忙？”

“不忙，不忙！”我赶紧说，“就是闲着没事儿，一天到晚在家里瞎折腾，练健美呢！”

我很想跟老爸说说那个傅教授，但又不知道怎样开口。也许老爸看出了我的异样，问道：“儿子，你是不是有什么话要对我说？”

“有个人……妈妈让我去见个人……”

“哦……”老爸点着头，好像什么都明白了。

“我不想见。”

“不，你应该去见。”老爸的表情严肃起来，“你妈妈让你去见这个人，这说明你妈妈很在乎你的意见。”

老爸的这种态度，好像妈妈是一个与他无关的人，我对他有些不满。

“你真的希望我去见这个人吗？”

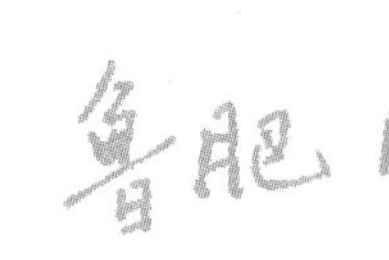

老爸站起身来，双手按在我的肩头上：“我和你妈妈已经离婚了，她应该有自己的生活，你肯定也希望你妈妈过得好吧？”

我点点头，我当然希望妈妈过得好。

“男子汉，别愁眉苦脸的。”老爸在我肩上重重地拍了一下，“去给你妈妈好好参谋参谋吧！”

老爸把一些反转片装进一个牛皮纸袋里，让我给妈妈带回去。

回到家里，心里觉得堵得慌，就给鲁肥肥打电话，约他去游泳。

在游泳池门口见到鲁肥肥，我们一道去更衣室，我一直没有说话。

“哥们儿有心事？”

鲁肥肥是那种面带憨相、心里透亮的人，有明察秋

毫的特异功能。我很想对他说说我爸我妈的事，但我必须绕个弯子，不想直接说。

“有一个男人和一个女人，这个女人就要有男朋友了，这个男人好像无动于衷，你说他们之间……”

“他们之间最多是朋友，绝不是那种……”

鲁肥肥不假思索地回答道。我知道他所说的“那

种”是什么意思。

鲁肥肥一个猛子扎进水里，别看他胖，游得还真不慢，像一条白花花的大鱼，在游泳池里蹿来蹿去。鲁肥肥的仰泳游得特别好，可能是因为身上的肥肉比较多吧，四平八稳地躺在水面上，好像永远都不会沉下去。他可以一边躺着，一边跟我说话。

“你刚才讲的一男一女肯定没戏。”鲁肥肥对任何问题都会有一个结论。

“怎么才可能有戏呢？”

“如果那男的嫉妒了，这就说明有戏了。”

我觉得好笑：“这是不是太简单又太绝对了呢？”

“这你就不懂了。”鲁肥肥给我讲起了大道理，“实践是检验真理的惟一标准，嫉妒是检验爱情的惟一标准。懂吗？”

鲁肥肥有点东拉西扯。如果照他的这套“理论”，我认为老爸对“妈妈有男朋友”是没有嫉妒心的。唉，也许咱爸咱妈是真的没戏了。

不知是因为游了泳，还是听了鲁肥肥的奇谈怪论，心里头一下子不觉得那么堵了。

这一天，高兴

7月17日　星期六　雷阵雨

昨晚，我把老爸在藏区拍的反转片交给妈妈，妈妈一张一张地足足看了一个多小时，说封面设计、版式设计都由她来做，但配文这活儿，她干不了。她说这么美的画面一定得由很美的文字来配。

“找谁来配这些文字呢？”

妈妈在书橱前站了一会儿，从架上抽出一本书，眼睛一亮：“非他莫属。”

那本书的书名是《西藏的魅力》，翻开书看作者简介，有一张作者像，我看这个人好像见过——对了，是傅教授。

“傅教授跟你爸一样，也是个西藏迷。你把这本书带去给你爸看看，还是要他同意才行。”

我带着傅教授的《西藏的魅力》去见老爸，老爸翻开读了几页，大声叫好。

“这个人的文笔好，有风骨，跟我拍的风格一脉相承，你去跟你妈说，就是他了。”

“老爸，你知道这个人是谁吗？”我酸溜溜地，“他就是妈妈要我去见的那个人。”

“不错不错，至少这本书给我的印象很不错。当然，还要进一步考查，最重要的是要对你妈妈好。”

老爸明天要到郊县一个木材加工厂去买一些树皮来做画框，他想让我跟他一块儿去。

“为什么不拿出去定做呢？”

“现在的相框画框都做得太精致，我总觉得有些匠气。”

我跟老爸约好，明早他开车来接我，我们一块去买树皮。

回家过天桥的时候，看见一个卖花的小女孩坐在阶梯上，因为她卖的就是百合花，所以特别引起了我的注

意，我发现她在哭。

我从她身边走过去，又回转来，问道："你需要帮助吗？"

卖花的小姑娘警惕性很高，用充满泪水的大眼睛看着我，不说话。可能看出我不像坏人，小姑娘才告诉我，她把卖花的钱丢了。

"丢了多少钱？"

"三十几块。"

我裤兜里有50块钱，是妈妈今天早晨才给我的零用钱。我想我要给这小姑娘50块钱，她肯定不会要，就算买篮子里的百合花吧。

我把50的钞票递给她："这篮子里的百合花我全要了。"

小姑娘看着那张50块钱的钞票，很为难："我没有零钱找给你。"

"不用找了。"我自己动手，从她篮子里捧起那束百合花，"这花刚好值50块钱。"

我抱着那束百合花，头也不回地走了。

下天桥时，发现前面就是冉冬阳的爸爸设计的那幢全市最高的大楼，兵哥哥刘帅最喜欢的那个女孩子白莉小姐就在里面。前几天她过生日的时候，帅哥托我给她送过百合花。百合花是她最喜欢的花，现在离她这么近，为什么不把这束百合花送给她呢？

进了那座大楼，在电梯口等电梯，电梯门一开，第一个走出来的就是白莉小姐，还是那身白衣白裙白皮鞋。她还记得我。

“你又来送花？”

“对，给你送花。”

我双手把花献给她。

“给我？”白莉小姐有点惊喜，“今天又不是我的生日。”

我说：“有一个叫刘帅的人托我送来的。”

“老实交待！”白莉小姐的旁边还有一胖一瘦两位小姐，“这个叫刘帅的人是不是你的男朋友？”

“白莉，你好幸福哦！”胖小姐拉着白莉小姐，“走，今天晚上你得请客。”

白莉小姐幸福地请客去了。她肯请客，就证明她承认帅哥是她的男朋友了。嘿，我暗暗地为帅哥高兴。

晚上，正要上床睡觉，帅哥打来电话。开口就说：“兄弟，干得好！”

虽然看不见帅哥，但从说话的声音里听得出他很高兴。

“刚才白莉给我打电话了，这是她第一次主动给我打电话，还说了一些很温柔很甜蜜的话，当然我就不说给你听了，小孩不宜。曙光已经在前头，还要趁热打铁，以后每周你帮我送一次花，记住，一定要送百合

花。”

今天觉得这50块钱用得特别划算，既为那个卖花的小姑娘解了忧，还替帅哥赢得了一颗芳心。

这一天，高兴！

给老爸打工

7月18日 星期天 晴

早晨，老爸开了一辆破车来接我去郊县的一个木材加工厂。那车真的是破得不能再破了，一路“叮叮哐哐”，感觉是它周身的零件都快散了。

“老爸，你从哪里搞来的这破车？”

“借来的。”老爸把这破车开得有滋有味，“去拉点树皮，莫非还要开辆

奔驰去？”

只要一有上坡的路，我就得下来推车，几乎是使出了吃奶的劲，把妈妈新给我买的凉鞋也挣破了一只。咬紧牙关，使劲推车，这时候我觉得我有点像《三毛流浪记》中推车上桥的三毛。

只要一过河，老爸就会让我下河去提水，不停地给这破车加水。

好容易把这老爷车侍候到了那家木材加工厂，我已累得像一摊泥了。

厂长带老爸去看那堆树皮，老爸像见到一堆宝贝，用手轻轻地抚摩着深褐色的树皮那些苍老的、斑驳的纹路，连声说：“太漂亮了，太漂亮了！”

“漂亮？”厂长用牙签剔着牙，用看神经病人的眼光看着老爸，“除了当柴烧，这堆东西还有用？”

很难跟这位厂长讲清这堆树皮有什么用。老爸迫不及待地问厂长：这堆树皮卖多少钱？

“哪能要钱呢？”厂长笑起来，“你要喜欢，全拉走好啦！”

“哪能不要钱呢？”

老爸一定要厂长收点钱。

厂长坚决地一分钱也不收，还要派工人来帮我们装车。

“不用了，谢谢！”老爸拦住厂长，“有我儿子帮

使出吃奶的劲推破车

我装车呢！”

老爸把我当搬运工呢！

老爸跳到那堆树皮上，挑出那些颜色正、纹路成形的树皮递给我，我再把它们搬到车上，一块一块地码好。

很多人在看我们，他们实在搞不懂我们打老远跑来，拉这么一车没用的树皮回去做什么用。

装满了一车树皮，我们开着破车出发了。

归途上，那辆破车的毛病更多了，几乎是推一段路，才能跑上一段路，把我折腾个半死。老爸倒是高兴，他对这车树皮太满意了，所以一路上快乐地吹着口哨。

进了城，已是华灯初上。

因为老爸还要去把这辆破车还给人家，所以顾不上吃晚饭，把树皮从车上卸下来，再搬到老爸的工作室里。

老爸的工作室在7楼的楼顶上，至少跑了7个来回，才把树皮搬完。

还是坐那辆破车，老爸把我送回去。下车的时候，老爸塞给我20元钱："这是你今天的工钱。"

我想不要，可老爸使劲地捏紧我的手："拿着吧，小伙子今天表现不错，这是你应该得到的劳动报酬。"

我收下了老爸付给我的工钱。这20元钱在我手里沉甸甸的——挣得好辛苦啊！

老爸曾经是顽童

7月19日 星期一 晴

昨天，被老爸借来的那辆破车折腾得浑身酸痛，真不想起床，可一想到今天还得去老爸那里帮他做画框，还是硬挺着起了床。

轻手轻脚地进卫生间，又轻手轻脚地进厨房，不敢弄出太大的声响。妈妈还在睡觉，昨天为老爸的那本摄影集子，她几乎熬了一个通宵。这几天为老爸的影展和出书的事，我和妈妈都搭进

去了。

早餐是我自己做的汉堡包。煎一个鸡蛋和几片肉肠，再往现成切开的面包坯里抹上沙拉酱，最后把煎好的鸡蛋和肉肠夹进去，OK，就这样。

我做了3个汉堡包。平时吃一个就够了，昨天干了一整天的活儿，今早起来特别饿，吃了一个半。另一个半用饭盒装了，给老爸送去。

老爸在楼顶的工作间里，打着赤膊，正在锯树皮，要先把树皮改成宽5cm的条，再根据照片的尺寸锯成一段一段的，最后钉成画框。

老爸在一旁吃汉堡包，我拿起锯子，试着锯了几下，开始有点拉不动，老爸说每一锯子都得锯下去，再拉起来。

锯了几条，老爸说我拉锯的技术已经超过他了，我俩就分了工，他负责把画框的尺寸标在树皮条上，我负责锯。

在枯燥的拉锯声中，我找了许多话来问老爸。

“老爸，你像我这么大的时候，会拉锯子吗？”

“怎么不会。”老爸说，“那时候没什么玩具可玩，只要有一段木头，我就能做出木头枪、木头剑、木头手榴弹，所以木工的那套工具，什么锯子、刨子、钉锤，我都会用。”

“那个时候，你们喜欢玩什么呢？”

“打游击。一帮大大小小的男孩子，大的有十五六岁，小的才五六岁，拿着刀枪棍棒(都是木头做的)，一路高呼‘冲呀杀呀’，来到城墙边，由孩子们最拥戴的两个孩子用猜‘剪刀、锤子、布’的方法来点兵点

将，一大堆孩子变成了两堆，一堆是好人，一堆是‘坏人’。‘坏人’都要在手臂上绑上一条手绢，作为标志，然后双方都会找一个地方隐蔽起来，各自再派出机

灵的侦察兵去侦察敌情。谁先侦察到敌情，谁就成为主动出击的一方。打游击这种游戏，几乎永远没有胜负，因为双方都有俘虏，就会交换俘虏，俘虏一回到自己的阵营里，又增添了新的战斗力，等于战争又重新开始了。那个时候，几乎所有的男孩子都对‘打游击’到了痴迷的程度，可以一整天一整天地玩，如果不是大人来找，天黑了也不知道回家。”

我问：“有女孩子来跟你们玩吗？”

“我们那时候是不跟女孩子玩的，分男女界限，连话都不说的。”

“不说话？”我故意套老爸的话，“如果你觉得有一个女孩子还比较可爱，也不跟她说话吗？”

老爸很狡猾，不进我的套，他不说自己，却说别人。

“如果男孩子要觉得哪个女孩子可爱，就去捉弄她，往她的文具盒里放一条毛毛虫啦，往她的新衣服上洒墨水啦……看着这个女孩子伤心地抹眼泪，男孩子们就很开心。现在想起来，经常被男孩子捉弄的，恰恰都是他们喜欢的女孩子。”

“真够坏的！”我仍不放过老爸，“老实交待，你捉弄过女孩子没有？”

老爸把手中的铅笔夹在耳朵上，仿佛在认真地回忆。

“我那时候喜欢一个比我大两岁的女孩，她有心脏病，休学两年后插进我们班，一直坐在我的后面，比我高一个头，梳两条长辫子，爱穿一件红底小花的灯芯绒衣服。她是小组长，负责收作业本。我的作业本没有一页是平整的，揉得像一堆咸菜。她收到我的作业本后，会把我的本子一页一页地压平。本子发到我手上后，我又会揉皱，她再替我一页一页地压平。慢慢地，我对她有了点特别的感觉，虽然我没有跟她讲过一句话，但如果有一天没有看见她，我心里就会觉得空空的。我小时候不是一个好孩子，经常逃学，但自从对这个女孩子有了点特别的感觉后，就再也没有逃过学了。”

哈，老爸还有这么一段故事!

我觉得我很幸运，有几个做儿子的能像我这样跟爸爸平起平坐地交谈？老爸从来不端“你是儿子，我是老子”的架子，所以我愿意把他当做我无话不谈的朋友。

跟老爸一边干，一边聊，话说得多，活儿也干得不少。画框的材料都按尺寸锯好了，明天就可以钉框了。

今天又挣了老爸20元钱，手掌上打起了个血泡，火辣辣地痛。

榜上有名

7月20日　星期二　晴

今天是全市各个改制中学看榜的日子。

妈妈特意起了个大早，要和我一道去一中看榜。我说既然考试的时候都是我一个人去的，看榜还是让我自己去吧。

“你真的不要我跟你一块儿去吗？”

妈妈有些紧张又有些担心地看着

我。

“我怕你去了以后，见榜上无名，晕倒在那里。”我故做轻松状，唱了一句任贤齐的歌，“把所有问题都自己扛……”

换了件干净的T恤，还拿梳子梳了头，对着镜子长长地吹出一口气。说不紧张，心里还是有些紧张。

骑自行车到了一中，校门口人山人海，连里面那长长的林阴道都挤满了人，而且几乎都是大人。他们的脸就是榜，只要看看他们脸上的表情，就知道他们的孩子考上没有。真是几家欢喜几家愁啊!

我朝贴着红榜的地方走去。精豆豆和古龙飞朝我迎面跑来，两个都是欢天喜地的样子。

“考起了！考起了！”

我问精豆豆：“你考起了？”

“我没有考起。”精豆豆指指我，又指指古龙飞，“你考起了，他也考起了。”

耳听为虚，眼见为实，我还是要亲眼见榜才信。

红榜跟前人头攒动，根本没法挤进去。古龙飞和精豆豆一人出一条腿，让我踩在他们的腿上，这才在红榜上搜寻到我的名字。在搜寻的过程中，我还看见两个熟悉的名字：梅小雅和宋立春。

“嘿，吴缅！”

梅小雅朝我们走来，我差点儿认不出她了。我记得

以前的她黑黑的、瘦瘦的、小小的，梳两条细细的小辫儿，不爱笑。现在的梅小雅剪了短发，个子也长高了不少，脸上的笑容很灿烂。

“好哇，你们又成了同学，没我什么事儿了。”

精豆豆看见他爸他妈气势汹汹地过来了，想逃，可他爸一个箭步冲过来，揪住了他的耳朵。

“兔崽子，你看人家吴缅和古龙飞都考上了，你呢？你呢？”

精豆豆踮着脚尖，向精妈求救：“妈呀，痛死我了！”

精妈本来是要骂精豆豆的，不知怎么却骂起了精爸：“干什么，你想把咱儿子的耳朵揪下来吗？他今后还怎么听话啊？”

精爸和精妈一人牵着精豆豆的一只手走了，精豆豆一路走，一路回过头来向我们做鬼脸。我想笑，但笑不出来，心里有点替精豆豆难过。

一辆黑色的奥迪轿车徐徐开过来，停在我们面前，车里坐着乔丹。

在林阴道上，古龙飞悄悄对我说：“榜上没有他的名字。”

可是，在乔丹的脸上什么都看不出来，他还是那么趾高气扬，居高临下。

他把头从车窗里伸出来，对我说：“我们后会有期，我还是会读这个学校的。”

黑色奥迪车扬长而去。

“有个当局长的爸爸真好啊！考不上又怎么样呢？”

古龙飞有些愤愤不平。

在校门口，看见了宋立春和他的爸妈，一点都看不出他们的喜悦，还有些忧心忡忡的样子。

宋立春也看见了我和古龙飞，走过来把我们拉到一边，避开他的爸爸妈妈。

“我不读这个学校了。”

“为什么？”

我和古龙飞朝他大吼一声。

“听说读改制学校都要交9000元的学费，我们家交不起。”

我想起来了，宋立春的爸爸妈妈都是下岗工人，读六年级的时候，我们班还搞过一次“玩具拍卖”的班队活动，帮他交学费。

“不读多可惜啊！”古龙飞喜欢夸张，“能考上一中，好比是千军万马过独木桥，好多马都掉下河了，你算是过桥的马哦！”

宋立春吸着鼻子，皱着眉头，像个小老头儿似的。他天生就是个读书的料，不读一中，真是可惜了。我劝他不要这么快就做出决定，反正离开学的时间还有一个

多月，说不定“柳暗花明又一村”呢！

学校门口有两个IC电话亭。掏出IC卡，先给妈妈报喜，又给老爸报喜。老爸说晚上请我和妈妈吃饭，小小地庆贺一下。

傍晚，在一家十分干净的小餐馆，老爸、妈妈和我坐在一个铺着方格桌布的桌子旁，老爸特地要了香槟酒，这是一种喜庆的酒。老爸送给我一样礼物，没有用漂亮的纸包装，只是用报纸包了包。他说，是一本书，叫我回去再看。

老爸和妈妈跟我碰了几次杯，就去说老爸的影展和那本摄影集了。说着说着，两个就争起来，好像是为那本摄影书的封面，老爸坚持要用康巴汉子扎西的相片做封面，妈妈说还有更好的选择。他俩就是这样的，不在一起的时候，就像两个特别好的朋友；在一起的时候，就吵，所以他们要离婚。

他们争吵的声音越来越大，我在他俩中间做了个暂停的手势，他俩这才意识到什么。妈妈小声地向我道歉，老爸在我们面前的杯子里斟满香槟酒，我们又举起杯来。

荒唐游戏

7月21日 星期三 小雨

几乎一上午都在接电话，我也打电话出去。

第一个打出去的电话是给冉冬阳的，我什么都没说，她就说她什么都知道了。昨天，梅小雅到她家去了，所以她知道我已经考上一中。其实，我也知道她考上了外语学校，昨晚表妹打电话来，是妈妈接的，她告诉妈妈她考上外语学校了，然后又让我听电话，说要告

诉我一个好消息。结果这个好消息就是要告诉我，冉冬阳也考上外语学校了。我不让她揪住冉冬阳不放，就问莫欣儿考上没有？刁钻古怪的表妹反问我："莫欣儿考上没考上跟你有什么关系？"奇怪了，难道冉冬阳就跟我有什么关系？像表妹这样的女孩子，真是难缠。

冉冬阳在电话里说："现在，一切都梦想成真，你考上了一中，我考上了外语学校，应该是皆大欢喜，可我好像并不是特别的高兴。"

"为什么？"

我虽然这么问，但心里也有同感，并不是特别的高兴。开学以后，我和冉冬阳不在一个学校读书，就不能像以前那样，天天见到她了。

"不说了，不说了。"冉冬阳突然问起了精豆豆，"听说精豆豆没考上？都是你给害的，他是为了追随你才去考的一中。凭他的实力，他根本就不应该去考一中。"

我赶紧声明："我可没有让精豆豆去考一中。"

"我知道，跟你开玩笑呢！哎，精豆豆是不是伤心死了？"

"他伤心？"想起昨天精豆豆那欢天喜地的样子，我才真的有点为他伤心。

"精豆豆没心没肺，也许根本就不知道什么叫伤心，我在这里杞人忧天。好啦，哪天把精豆豆约出来，几天不见，心里怪想他的。”

“好，我一定把你最后的这一句话，一字不差地带给他，我马上就要到精豆豆的家去。”

“吴缅，你别胡说……”

冉冬阳在电话那边叫起来，我故意要逗逗她，挂上了电话。

今天早上一起床，昨天“榜上有名”的喜悦似乎已离我而去。小学里的4个铁哥们儿，我、鲁肥肥、古龙飞、精豆豆，人称“四大金刚”，整日形影不离，现在除了古龙飞今后还会天天见到，都将各奔东西。肥肥考上了六中，精豆豆还不知道会读哪里呢！

从来没有什么时候，像现在这么怀念过去的岁月。在我们四个人里，精豆豆是最崇拜我的，那是从一年级上小学的第一天就开始的。

记得上学的第一天，刚入学的小男生小女生走在操场上都是傻乎乎、怯生生的。那时候的精豆豆的样子很好玩，脑袋很大，脖子很细，两颗门牙没有了，见到谁都傻笑。有几个高年级的大男生围住他，又吼又叫：“缺牙巴，啃西瓜，啃不动，喊妈妈，妈妈给他两耳光！”

“啪！啪！啪！”

那些大男生就像拍皮球一样拍精豆豆的脑袋瓜，精豆豆“哇哇”地哭起来。我那时虽然也是刚入校第一天的小男生，见这么多大男生欺负一个小男生，义愤填膺，跳起来就去拍那个最高的大男生的脑袋。我这一壮举，使得那几个大男生半天没回过神来。等他们回过神来，正要一起来对付我的时候，五大三粗的体育老师过来了，他们就像老鼠见了猫，忽地一下子逃得无影无踪。

从那以后，精豆豆对我崇拜得可以说是五体投地，言听计从，不管我说什么，他都百分之百地听。有一件事情，现在想起来都觉得挺对不住精豆豆的。

在读四年级以前，我都爱搞点恶作剧。每次上体育课都要报数，我和精豆豆是一队的，他个子矮，排前面；我个子高，排后面。上课之前，我对他说："今天报数，我们两个都只张口，不出声，好不好？"

精豆豆想都不想，就说："好！"

精豆豆排在我们这一队的第三。该我们这一队报数的时候，"一"、"二"都报了，该精豆豆报"三"的时候，精豆豆张大嘴巴，做了个"三"的嘴形，却没有声音。

体育老师冲精豆豆吼道："你哑了？重来！"

又重新报数，精豆豆还是只张口不发声，男生女生笑得死去活来，只有精豆豆没有笑，还有体育老师没有笑，他像一头被激怒的公牛，狠狠地瞪着精豆豆。

下课后，精豆豆被带到办公室里，老师问他为什么要这样做？他说是他想让大家笑，始终没有把我这个罪魁祸首供出来。后来，还请了他的家长来，回去挨了一顿鞭子，屁股都打肿了，第二天坐板凳都痛。

这件事以后，我再也没有捉弄过精豆豆，一下子像长大了许多，也懂事了许多。

从往事里回到现在，不知现在的精豆豆在干什么？先打个电话去侦察侦察。

“哈喽，精豆豆，在干什么呢！”

“我被关禁闭啦。”精豆豆没精打采地说，“我被我爸、我妈反锁在家里闭门思过，我真想打110，让110来把我救出去。”

“你爸你妈准备把你关几天？”

“我想就一天吧？”精豆豆什么事情都往好处想，“你想他们总不能太狠心吧？我是他们的儿子啊！而且还是亲生的儿子。”

“关你一天，就不要拨110了吧！让你爸你妈解解气也好，明天我来救你。”我想说点事儿让精豆豆高兴高兴，“刚才冉冬阳对我说，几天不见你，还挺想你的。”

精豆豆在电话里尖叫起来：“冉冬阳真的这么说？”

“不信你去问她。”

“我信我信。”精豆豆兴高采烈，“我爸我妈叫我

闭门思过。闭了门，却没什么‘过’可思的。好啦，从现在起，我就开始想冉冬阳吧！”

但愿精豆豆在想冉冬阳的时候，能让光阴过得快一些。

道歉公司

7月22日 星期四 阴

昨天答应精豆豆今天要去救他，一早约上鲁肥肥、古龙飞就上精豆豆家去了。

我们在路上编好了许多安慰精爸精妈的话，好让他们顺顺气，这样就可以把精豆豆解救出来了。

到了精豆豆的家，我们都傻了：这里完全是一派歌舞升平的欢腾景象，音响里放着宋祖英的歌《好日子》，音量

开得很大，几乎震耳欲聋。

精爸精妈像迎接贵宾一般，把我们3个迎进屋里，然后给我们每人倒了一杯可口可乐，又端上一盘水蜜桃。

我们3人正襟危坐，精豆豆却看着我们笑，像看热闹似的。

古龙飞清了清喉咙，开始说路上编好的话。

“叔叔，阿姨……”

他的声音被淹没在宋祖英高昂的歌声里。

“你说什么？”

精爸一边扯起嗓子问，一边关掉了音响。

屋子里出奇的静，大家都看着古龙飞。古龙飞这时却一句话都说不出来了。

“你们是不是为精豆豆说情来啦？”精爸举起右手，“我宣布：从今天开始，解除精豆豆的禁闭。”

我们路上编的那些话算是白编了。

精妈说：“我们想通了，我们精豆豆干吗非要去读那改制学校不可？我们就读微机分配的学校，还节约9000块钱呢！”

“对，什么学校不能出人才啊？”精爸振振有词，“跟你们这样的尖子生去读改制学校，我们精豆豆还不被你们压得翻不了身？还是去读微机分配的学校吧，说不定我们精豆豆还能出人头地呢！”

精豆豆跳出来了："怎么是说不定？我肯定是会出人头地的。"

"有志气！"精爸拍拍精豆豆的肩，"咱们宁做鸡头，不做凤尾！"

瞧这一家子！我们还能说什么呢？

精爸精妈要去上班了。

精妈说："儿子，冰箱里有好多好吃的东西，拿出来好好地招待你这几个好朋友。"

"是，妈妈，我一定好好招待。"

精爸说："儿子，玩开心点儿！"

"是，爸爸，我一定开心。"

精豆豆这时候特别听话。

精爸精妈一走，精豆豆在地上连翻几个跟斗，然后振臂高呼："我们自由啦！"

我们却没有精豆豆那么开心。到底跟从前不一样了，4个铁哥们儿3个都考上了改制中学，只有精豆豆……心里总不是滋味儿。

"我正盼着你们来，你们就来了。"

"盼我们来救你吗？"鲁肥肥说，"看你现在过得比谁都好，我怀疑吴缅谎报军情。"

精豆豆很神秘地告诉我们："我舅舅开了一家'道歉公司'。"

"道歉公司"？新鲜，还头一次听说。

“你舅舅开‘道歉公司’，跟我们几个有什么关系？”

“怎么没关系？有关系的。”精豆豆做了一个数钱的动作，“我们可以挣钱呀！”

挣钱？我们的眼睛都亮起来。

“宋立春的事情，咱哥儿几个不出点力？”精豆豆说，“总不能又搞玩具拍卖会吧，那能挣几个钱？”

“宋立春怎么啦？”

鲁肥肥还不知道宋立春的事情。

“宋立春考上一中了，但要交9000元的学费，他家交不起，他准备放弃。”

“那多可惜呀！”鲁肥肥站起身来，“还不快走，我们去见你舅舅吧！”

路上，我们问精豆豆，他舅舅长什么样？

“笑的时候像猫，不笑的时候像耗子。”

又像猫又像老鼠的人是什么样子的呢？还真没见过。

弯来拐去，精豆豆把我们带到一幢陈旧的灰楼前，阴森得可怕，古龙飞停住脚步不肯进去。

“我怎么觉得这里有点像黑社会的总部？”

“进去！进去！”精豆豆朝里推着我们，“还想不想挣钱啊？”

我们硬着头皮上了4楼。

楼道阴暗，回响着我们故意踏得很响的脚步声，有点恐怖。

在一间挂着“诚恳道歉公司”招牌的门前，精豆豆上前去敲门，一个瘦小的男人来开了门。

“舅舅！”

有句老话“外甥像母舅”，应在精豆豆和他舅舅身上，还真是那么回事儿。两个人完全像是一个模子里倒出来的一样，只不过舅舅比精豆豆大一号罢了。

“嘿嘿！”精豆豆向他舅舅赔着笑，“我带几个同学来，看您这儿有没有什么事派给我们做。”

“别捣乱！”舅舅压低了声音，“我这儿有客人呢！”

舅舅还是让我们进去了，我们静悄悄地并排坐在长沙发上。

舅舅请客人继续讲。他十分专注地看着客人，脸上没有一丝笑容，越看越像一张老鼠脸。

客人讲完了，我们也知道了个大概。原来这人有一天晚上喝醉了酒，回到家里，他老婆劝他要爱惜自己的身体，不该喝那么多的酒，他扬手就打了老婆一巴掌，还叫她滚。结果他老婆当天晚上就回了娘家，已经有二十几天没回来了。他每次去，他老婆的妈妈都不准他进门，还说她女儿要跟他离婚。

“你这事还真有点麻烦。”舅舅的眉头皱成一团，“现在不仅仅是你和你老婆之间的问题，你老婆的妈妈，你的岳母大人也搀和进来了，你看麻烦不麻烦？”

那个四十几岁的男人垂头丧气地说：“我也知道麻烦就在这里，不然我怎么会找到你们道歉公司呢？”

“我们不怕麻烦！”精豆豆冲口而出，“舅舅，把这事交给我们吧！”

“小孩子，别贫嘴！”

舅舅瞪了精豆豆一眼，可是他眼睛不大，没什么威力。

那位客人挨着把我们几个扫了几眼，说：“邵经理，我看这几个孩子也许行。我那个丈母娘啊，就喜欢小男孩，你换了别人去，她门儿都不开。”

舅舅端起经理的架子：“黄先生，我会考虑你的建议的。”

舅舅把黄先生送出门去，和黄先生握手告别的时候，他的脸上有了笑容，还真的有点像猫。

黄先生的脚步声渐渐远去，舅舅把房门关起来，递给我们一张名片和一个地址。名片是黄先生的，地址是他丈母娘家的。

“这事就交给你们了。需要我教你们怎么道歉吗？”

“不用，不用。”精豆豆说，“我们有自己的风格。”

古龙飞指着精豆豆说：“他在学校经常给别人道歉，成功率蛮高的。”

舅舅懒得跟我们废话，每句话都直奔主题：“明天去吧，事成后给你们30%的酬金。”

精豆豆讨价还价：“50%，怎么样？”

舅舅一字一顿：“这是本公司的规矩！”

只要有钱挣就好，我们拉着精豆豆，逃也似的离开了那座灰楼。

第一笔酬金

7月23日　星期五　晴间多云

上午10点钟，我们在时代广场的钟楼下集合，前往黄先生的丈母娘家里。

路上，经过一家花店，我想起帅哥和白莉小姐的故事，是不是也应该替黄先生给黄太太买束花？

“买玫瑰花吧！”精豆豆说，“玫瑰花象征爱情。”

“俗气！”

鲁肥肥不同意。

“买马蹄莲吧！”古龙飞说，“马蹄莲象征纯洁。”

“平淡！”

鲁肥肥摇头。

我说还是问问黄先生吧。对于女人，送花一定得送她心爱的花才行，不然的话，送什么花都白搭。就像白莉小姐，如果帅哥送的不是她心爱的百合花，而是玫瑰花，或是马蹄莲或是其他的什么花，能赢得她的芳心吗？

花店门口放着一部公用电话。我摸出黄先生的名片，给他打了个电话，问他黄太太喜欢什么花？

“她喜欢茉莉花。说起来这里面还有一段故事呢！”黄先生在电话里给我讲起了一个故事，“向她求婚的时候，我还很穷，买不起什么金银首饰来送她。有一天她过生日，我们也只能在一家小饭馆吃一顿饭。这时候，有一个卖花的老太婆走过来，她把茉莉花一朵一朵地穿成一串串项链，挂在手臂上，1元钱一串，我给我妻子买了一串，给她戴在脖子上。她当时幸福极了，说这串茉莉花项链胜过世界上所有的钻石项链。”

我把这个“茉莉花项链”的故事又讲给他们几个听了，精豆豆双手捧胸：“哇，一个多么动人的爱情故事啊！”

我们一致决定，就买茉莉花。让卖花的小姐把一朵一朵的茉莉花穿成项链。

卖花小姐一边穿，一边看着我们偷偷地笑。

“笑什么？”

精豆豆稳不起了。

“小男孩子，蛮有情调的嘛。”

“什么情调不情调！”精豆豆把话说得很大，“这花是要派上大用场的，我们要拿它去挽救一段即将毁灭的婚姻。”

卖花小姐一下一下地眨着长睫毛的大眼睛，半信半疑。

茉莉花项链穿好了，卖花小姐找出一个漂亮的盒子，把青翠的茉莉花叶铺在里面，再把茉莉花项链放在叶子上面，摆成一个♥的形状。最后，用小小的喷水壶喷了一点水，盖上盒子，交给精豆豆。

精豆豆捧着那个里面有茉莉花心的盒子，小心得像捧着一件宝贝，我们护卫在他的身边，又上路了。

按照黄先生给我们的地址，我们很容易找到了黄先生丈母娘的家。

摁了一下门铃，就听见从里面传来一个老太婆很凶的声音。

“你又来干什么？当初我女儿嫁给你的时候，你一个穷光蛋，一无所有。现在你有钱了，还敢打人啦。回

去吧，等我女儿上法院跟你打离婚吧！”

本来精豆豆站在最前面的，吓得赶紧躲到后边去了。

我又去摁了一次门铃，门没有开。

我执著地又摁了一次，门还是没开。

我再摁，门终于开了——我们看见一张极其愤怒的脸，随即又变成一张极其惊诧的脸。

“你们……”

精豆豆又上前来了，堆起一脸的笑，露出他的大板牙。

“我们是‘诚恳道歉公司’派来的。老奶奶能让我们先进去吗？”

老奶奶莫名其妙，还是侧身让在一边，让我们都进去了。

一进去，精豆豆就不停地给老奶奶鞠躬：“对不起！对不起！”

谁见了精豆豆那副模样，都会笑的。老奶奶脸上的怒容没有了，她笑眯眯地看着精豆豆，一看就知道她喜欢上精豆豆了。

“这孩子，今年多大啦？”

“12岁啦。比您的孙子大还是小？”

老奶奶说：“我没有孙子，只有一个小孙女。”

“老奶奶，我做您的孙子好不好？”

精豆豆的嘴比抹了蜜还甜，老奶奶笑得嘴都合不上。

这时候，一个房间的门开了，从里面走出一个中年妇女。老奶奶给我们介绍道：“这是我的女儿。”

她就是黄太太？就是需要我们道歉的人。

“对不起！对不起！”

我们4个争先恐后地给黄太太鞠躬，如鸡啄米一般。

精豆豆单腿跪地，双手把那个装着茉莉花项链的盒子举过头顶，我把盒子打开，沁人肺腑的清香在屋子里弥漫开来，一串在绿叶衬托下、摆

精豆豆双手献上茉莉项链

成心形的茉莉花项链呈现在黄太太的面前。

黄太太的眼睛里雾了一层泪水，双唇颤抖着说不出话来。

古龙飞见机行事，说："黄先生真是后悔死了，他千不该、万不该动手打你，他求你一定要原谅他。"

古龙飞又给黄太太鞠躬，我们也跟着鞠躬，鲁肥肥人胖爱出汗，已鞠得满头大汗。

精豆豆仍是单腿跪地，双手举着那茉莉花项链，大有黄太太不原谅黄先生，他就不起来的架势。

黄太太从盒子里拿出那串茉莉花项链，把精豆豆从地上拉起来。

"你原谅黄先生了？"

精豆豆急巴巴地问。

老奶奶真的把精豆豆当成孙子了，她也出来帮我们讲情。

"我说打是心疼骂是爱，两口子哪有不打不闹的？牙齿和舌头那么好，还有磕碰的时候呢！算啦算啦，一日夫妻百日恩，你就原谅他了吧！"

精豆豆乖巧得很，马上顺着老奶奶的话说："我来替你把茉莉花项链戴上吧！"

黄太太没有拒绝，精豆豆万分殷勤地替她戴上了茉莉花项链。

鲁肥肥悄悄给我做了个OK的手势，我又给古龙飞使了个眼色，古龙飞会意，趁大家不注意，溜出去给黄先生打电话去了。

过了一会儿，黄先生来了，他的丈母娘虽然还拿脸色给他看，但不再赶他出门了。

黄先生一直小心地赔着笑脸，我们怕他太难为情，就告辞出来，老奶奶一直把我们送到楼梯口，挺舍不得的样子。

一出大楼，鲁肥肥就说："我看这事儿，差不多就这样了。"

"什么叫差不多？百分之百成功。"精豆豆从来不给自己留余地，"走，到我舅舅那儿去要酬金。"

到了精豆豆舅舅那里，他正在听电话，看见我们，招了手让我们坐在沙发上等。

舅舅挂上电话，很认真地把我们几个扫视了一遍，有点刮目相看的意思。

"行啊你们几个，还真把事情给办了。"

精豆豆反应特快，立即向他舅舅伸出手来："拿来，30%。"

他舅舅也真不含糊，拉开抽屉，摸出三张百元大钞，放在桌上。

"君子一言，驷马难追。说30%就30%，咱们现过现，算是两清了。"

精豆豆从桌上拿起那300元钱，问他舅舅还有没有生意给我们做？

“你以为天天都有这么好做的生意等着你呀？”舅舅向我们做了个挥之而去的手势，“回去吧，有生意我再呼你们。”

挣到了300元钱，走在大街上，我们一个个都是理直气壮的样子。

“听说时代广场新开了一家比萨饼屋，我们……”

古龙飞故意不把话说完，拿眼睛去看鲁肥肥，鲁肥肥伸出舌头舔嘴唇。

“不行！”我说，“这笔钱说好是资助宋立春交学费的，就得专款专用。”

后来，我们4个把包里所有的钱掏出来，凑了27元，最小号、最便宜的蔬菜火腿比萨25元一个，分成4块，根本谈不上吃饱，只能尝尝鲜而已。

至于我最喜欢的那种盛在精致的瓷盅里的奶油浓汤，我只有“望汤兴叹”了。

真正的男子汉

7月25日　星期日　晴

没想到，我是和老爸一起去见的傅教授。

妈妈给老爸打电话，说傅教授已经为老爸的照片配好了文字，问老爸有没有必要和傅教授当面切磋切磋？

老爸说当然有必要。顺便，他还可以帮妈妈参谋参谋。

今天一早就去了老爸那里帮他钉画框，到下午6点才收工。我和老爸洗了

澡，换上干净的T恤和牛仔裤，就像两个不同型号的西部牛仔。7点钟，我们准时到达那家非常有名的、专卖香辣蟹的菜馆，妈妈和傅教授坐在一张靠窗的餐桌旁，正在等候我们。

妈妈向傅教授介绍了老爸，又向老爸介绍了傅教授，他们握了手，坐下来。

要了两只鲜活的大肉蟹，我们一边喝着茶，一边等着香辣蟹上桌。

我静静地观察着老爸和傅教授。他们是两个不同类型的男人。老爸粗犷、剽悍，完全是浪漫的艺术家气质；傅教授衣冠楚楚，文质彬彬，具有学者风范。

我以为他们会格格不入，没想到一坐下来他俩就聊上了，聊的是他们都感兴趣的康巴话题，聊得十分投机，旁若无人，我和妈妈坐在那里，完全成了两个多余的人。

妈妈不甘寂寞，重新又提起上次她和老爸吵得不欢而散的话题：用“康巴汉子”那张照片做封面好，还是用“康巴的太阳”那张照片做封面?

老爸说：“用‘康巴的太阳’。”

“你怎么想通的？”妈妈对那天的争吵记忆犹新，“你那天不是还说如果不用‘康巴汉子’，你宁愿不出这本书吗？”

“可是我看了老傅写‘康巴的太阳’这段文字，我觉得这段文字就是我这本摄影集子的灵魂，准确地表达了我对康巴文化和康巴风情的感悟，具有撼人心动的力量。所以用这张片子做封面，真是再贴切不过了。”

“哼！”妈妈冷笑了一声，“真是前世冤家，我们之间，永远是我说东，你就一定得说西。”

幸好这时，热气腾腾、滋滋冒油的香辣蟹上桌了，否则他们又会吵起来。

香辣蟹装在一个起码有脸盆大的大瓷盘里，螃蟹炒得通红透亮的，鲜红的泡辣椒整条整条地穿插在肉蟹里。这样的菜，别说吃了，就是看看颜色，闻闻味道，也会流口水的。吃这个菜还有

个讲究，一般是吃独门菜，把螃蟹挑来吃了，还剩下一大盘子调料，服务员把剩下的一大盘子端回厨房里，用盘子里的调料又炒出一大盘河粉端出来，这样吃了螃蟹又吃河粉，既能吃得舒服，又能吃饱肚子。

吃香辣蟹，最好的部位是螃蟹的两只前钳。我们要了两只螃蟹，一共有4只前钳，正好一人一只。妈妈碟子里的那只前钳敲得不是很碎，无从下嘴，我和老爸都看着妈妈笑，看她怎么吃？傅教授马上把他碟子里那只敲得很碎的蟹钳夹给妈妈。这一切都做得那么自然又那么恰到好处。

这顿饭吃得轻松又愉快，3个大人谈笑风生，完全没有事先我所想象的尴尬和不自然。

从餐厅里出来，凉爽的晚风扑面而来，老爸问我愿意同他去河边走走吗？我当然愿意，这时候我特别愿意跟老爸在一起。我和老爸向东，妈妈和傅教授向西，我们分道扬镳……

“哎，老爸！”我迫不及待地问道，“你觉得那位傅教授怎么样？”

“不错，对你妈妈来说，挺合适的。”

“你跟我妈妈，怎么就不合适呢？”

老爸没有马上回答我。

来到河边的一个码头，我们走下去坐在石阶梯上，看月光下的河水从我们的脚下缓缓流过。

老爸点燃一支烟，烟头上的红光在他的脸上一闪一闪的。

老爸是认真地想了一会儿，才回答我的问题。

“我和你妈妈的性格太相似了，又都是那种要按自

己的想法一做到底的人，不知进退，所以我和你妈妈经常是针锋相对，从来都不谦让对方。有时心平气和的时候，也曾想过我为什么就不能让着她一点呢？没办法，就这臭德行，改不了啦！”

一支烟抽完了，老爸又点燃一支烟。

“你妈妈是属于那种长到70岁、80岁也一样天真、一样任性的女人，一辈子都需要别人的迁就和照顾。我看傅教授很沉稳、很细心，你妈妈能找到这样一个人，我真的是为她高兴。”

我相信老爸说的这番话是真心的，因为他是一个真正的男子汉，敢于面对自己——成功的和失败的。

一本男孩子必读的书

7月29日　星期四　雨

连着3天，雨下个不停。一会儿大雨，一会儿中雨，一会儿小雨，反正没停过。

在下雨天里读书是最惬意的。上次老爸送我的一本书还放在抽屉里。找出那本报纸包起来的书，打开一看，书名是《鲁滨逊漂流记》，书很旧很旧，封面已看不出颜色，还用透明胶粘补过。

翻开书，里面的纸已经发黄了，扉页上有几行字。头两行是用毛笔写的，而且是繁体字：

這是一本男孩子必讀的書

贈維兒

下面落名吴敬山。吴敬山是老爸的爸爸，我的爷爷，那么这本书是当年我爷爷送给我老爸的，送书的时间是1965年6月1日，现在推算起来是我老爸12岁那年六一儿童节那天，爷爷送给他的。

接下来的两行字是用钢笔写的，龙飞凤舞，一看就是老爸写的：

学会生存

赠缅儿

下面落名是吴维。

爷爷送给爸爸，爸爸送给我，真是一本代代相传的书。

这是一本历险小说，读了几行字，就爱不释手了。

这部小说的主人公鲁滨逊是一个具有坚强毅力和聪明机智的现代文明人，在一次航海中，船在南美洲海岸一个荒岛附近触礁，船身破裂，水手和乘客都淹死了，只有鲁滨逊活了下来。海浪把他卷上了岸。小岛上荒无人烟，鲁滨逊长达28年的历险生活开始了。

我心目中的鲁滨逊

他做了一只木筏，把沉船上的食物，制帆篷的布、枪支、弹药、淡水、酒、衣服、工具等一一送到岛上，他用帆布搭起帐篷，作为栖身之处，并将船上运来的东西藏在这里，靠船上剩下的食物生活。

后来，鲁滨逊开始在岛上种植玉米、大麦和水稻，他学会了制作粗糙的面包。他捕捉并驯养山羊作为肉食的来源，又养了一些鹦鹉做伴，他还做了家具，摆在他所住的山洞里。

若干年后的一个夜晚，他发现有些野蛮人由另一个岛屿划小船过来，按照他们吃人部落的习惯，要把打胜仗抓来的俘虏杀死吃掉。第二天清晨，鲁滨逊发现岛的西南角满地都是人的骨头，他怕这些吃人的人把他吃掉，便找到一座十分隐蔽深幽的岩洞，把它改建成自己的藏身之处。这样又过了许久，他在岛上已经度过了23个年头。后来，岛上又来了一群食人的生番。当他们正准备把带来的俘虏杀死美餐一顿时，有个俘虏向鲁滨逊跑来。鲁滨逊开枪打死了几个追赶过来的生番，救下了这个俘虏。那天是星期五，他就给这名俘虏起名叫“星期五”。从那以后，“星期五”成了他忠实的仆人和朋友。

不到一年，鲁滨逊就教会了“星期五”说他本国的语言。“星期五”告诉鲁滨逊，曾经有17个遇难的白人坐小船来到他住的那个岛上，鲁滨逊想把他们救出来和他们一起回到文明社会去。于是，鲁滨逊和“星期五”选了一只独木舟，他们正准备出发，另一群生番带着更多的俘虏来到岛上。鲁滨逊发现俘虏中有一个西班牙人，就把他解救下来，也救出了“星期五”的父亲。

鲁滨逊派这个西班牙人和“星期五”的父亲在邻岛上解救其他的白人。在等他们的时候，鲁滨逊发现一艘英国船在附近的海岸抛锚。船长和另外两个人被船上闹事的水手抛弃在岸上。鲁滨逊带领“星期五”帮助船长夺回了船只，自己也终于得到了离开孤岛的机会。

我很喜欢这本书的作者笛福在《鲁滨逊漂流记》中的一句名言：“害怕危险的心理比危险本身还要可怕一万倍。”事实上确是这样：一个具有大无畏冒险进取精神的人，即使在恶劣的环境中，只要不畏艰险、勇往直前、百折不挠，那么他终将是一个成功者，一个英雄。

我也非常喜欢鲁滨逊这个人物，我想象中的鲁滨逊是这个样子的：身着羊皮短衣短裤，腰间别一把小锯，一把斧子，肩上挂着弹药袋子，背上背一个筐子，挂一支鸟枪，头顶撑一把又丑又笨的羊皮伞……我希望我自己能成为一个像鲁滨逊那样的人，一个探索者，一个发明家，一个善于创造性劳动的人。

我要好好地把这本书珍藏起来，等我有了儿子，我就把这本书传给他。

男孩心中的好女孩

7月30日　星期五　雨转晴

精豆豆的舅舅又有一笔业务要做，让我们火速赶到他的办公室去。

已来不及集合，我们分头赶了去，几乎在10分钟内，我、精豆豆、古龙飞和鲁肥肥全到齐了。

我们挤在长沙发上坐成一排，望着对面坐在转椅上的舅舅，他悠悠地转着，用一枝长铅笔敲打着太阳穴，时不时地瞟我们一眼，让我们有点心虚。

“你们几个行不行啊？”

“什么叫行不行。上次就是我们几个呀！”精豆豆巴结道，“舅舅，你忘记了，我们那件事儿不是办得挺好的吗？”

“上次是上次，这次跟上次不一样，你们知道吗？”

我们都摇头。他不说，我们怎么知道？

“上次是两口子，这次是两家火锅店的老板，这两个人都是一个师傅带出来的徒弟，为生意上的事情，十几年来两家闹得冤冤不解。现在，两家火锅店都开得红红火火，师兄师弟的年龄也不小了，人也成熟了，师弟呢，就想委托我们公司，给那家火锅店的老板，也就是他的师兄道个歉，化干戈为玉帛，生意人讲究个和气生财。”

“就这事儿啊？”精豆豆大包大揽，“交给我们做吧，我们先去策划策划。”

“嗬，策划？”舅舅笑起来，“你们也懂策划？”

精豆豆将鲁肥肥隆重推出：“这就是我们的策划大师。看看他的脑袋，不一般吧，比所有人的脑袋都大，里面装的全部是金点子。”

鲁肥肥也不谦虚，十拿九稳的样子。他这气势还真把舅舅给镇住了。

“好吧，这笔业务就给你们做了。”

“嘿嘿，这个报酬……”

精豆豆嬉皮笑脸朝他舅舅凑过去。

“老规矩，30%。”

舅舅打开文件夹，拿出两页打印稿给鲁肥肥，两家火锅店、两位老板的资料都在这里了。

我请客，去了一家肯德基店。一人一大杯冰可乐，坐下来策划这笔业务。

精豆豆和古龙飞七嘴八舌，多半都是废话。

鲁肥肥含着吸管，只顾咕噜咕噜地喝，一大杯可乐，几乎是一口气喝光的。

鲁肥肥说话了：“这事儿说难也难，说不难也不难。”

“此话怎讲？”

“两家的老板是师兄弟，恩恩怨怨十几年了，是是非非也理不清楚。现在师弟愿意和解，只要师兄点个头，这事儿就算成了。”

“说得对，这事儿太简单了。”

精豆豆和古龙飞都附和道。

“但是——”鲁肥肥的语气一转，“如果师兄不点头，这事儿就成不了。”

“你说怎么办？”

四个脑袋凑在一块儿，听鲁肥肥的高招儿。

“这事儿成败与否，关键就在这个去道歉的人的身上。我想我们这几个人不行，其实精豆豆的舅舅也感觉出我们几个办这事儿不成，只是他没辙儿。”

古龙飞有些不服气：“我们几个人不行，什么样的人才行呢？”

鲁肥肥描述道：“这个人一定要是别人一见就会产生好感的人，一个具有亲和力的人……”

“一个像天使一般的人。”

古龙飞接嘴道。

“对对对！”鲁肥肥叫道，“概括得非常准确，一个像天使一般的人。你们想想，谁会拒绝天使呢？”

是呀，谁也不会拒绝天使。可是，我看看我们这四个人，谁也不像天使。精豆豆，嬉皮笑脸；古龙飞，油嘴滑舌；鲁肥肥，肥头大耳；我呢，不好说。反正，都不像天使。

精豆豆问：“天使是男的还是女的？”

古龙飞自作聪明：“有男的，也有女的。”

我怕这两个打嘴仗的人又把话扯远了，就对鲁肥肥说：“干脆说谁去好？”

“去的人最好是女孩子，天使一般的女孩子。”

我们的脑瓜都转起来，谁像天使一般的女孩子呢？

我第一个想到的是冉冬阳。在我的心目中，她就是一个像天使一般的女孩子，可是，我没有勇气说出她的名字，因为这几个坏小子挂着一脸的坏笑，都意味深长

地看着我。

“我们一人说一个天使。”精豆豆兴趣盎然，“吴缅，你先说！”

我的脸有些发烧：“我凭什么先说？”

“你不说，我帮你说。”

精豆豆说出了冉冬阳的名字，几个坏小子鼓起掌来，张大嘴巴起哄。

“精豆豆，该你说啦！”

精豆豆拍拍我的肩膀：“我说出来，哥们儿别犯酸劲儿。我心中的天使也是冉冬阳。”

古龙飞幸灾乐祸，几乎笑得要死。

“鲁肥肥，你呢？”

鲁肥肥不说。

我说：“是不是我的表妹姚诗琪？”

鲁肥肥使劲摇头，脸上肥嘟嘟的肉晃荡起来：“你的表妹长得还可以，就是太做作，总想出风头。”

古龙飞说：“鲁肥肥喜欢聪明的女孩，莫欣儿怎么样？”

鲁肥肥还是摇头：“莫欣儿是太聪明了，哪里敢喜欢？只有敬而远之，敬而远之……”

“我不信，就没有你喜欢的女生？”精豆豆逼着鲁肥肥，“哥们儿太不够意思了，我们都说了，你不说。”

鲁肥肥的眼光躲躲闪闪，话也说得结结巴巴：“……那我就实话实说——冉冬阳。”

又有一个喜欢冉冬阳的，而且还是我最铁的哥们儿。说的是不犯酸劲儿，但心里还是酸溜溜的。冉冬阳确是那种有魅力的女孩，她不是特别漂亮，但却十分禁看，是那种与她相处的时间越长，越觉她好看的女孩，我想这跟她的性格有关系。大方、自然、亲切，不像那些长得漂亮或自恃聪明的女生，总给人一种咄咄逼人的感觉。

该轮到古龙飞说了。其实我们都知道，他一直喜欢沙丽。沙丽笑起来很灿烂，像明媚的阳光，照到哪里哪

里亮，如果让她跟冉冬阳一块儿去，我想是没有人会拒绝她们带去的一番好意的。

4个人一致同意让冉冬阳和沙丽做这笔道歉的业务。

马上跟冉冬阳和沙丽联系，她们一听说是为了帮助宋立春挣学费而去替别人道歉，二话没说，都表示一定去。

我的萨克斯

8月1日 星期日 晴

冉冬阳和沙丽果然不负众望，顺利地完成了任务。当晚，师兄师弟，也就是那两家火锅店的老板就握手言欢，我们又挣到300元的酬金。

冉冬阳把我们在帮助宋立春挣学费的事，告诉了她的妈妈。她妈妈是广播电台“爱心热线”节目的主持人，也热心地为我们想起办法来。她认识一家名叫“流年歌厅”的总经理，已经给他讲

好了，让我晚上到这家歌厅去演奏几首萨克斯曲子，先试一试再说。

晚上7点，我、冉冬阳，还有她妈妈一块儿去了那家歌厅。只要看看这家歌厅的装饰，便知道为什么名叫“流年”了。一进门，门廊上挂着一幅巨大的油画，画的是一架老唱机，酒柜和吧台都是深色的老家具式样，墙上的壁灯也都是古色古香的。

领班是位穿着燕尾服的老先生，腰板挺得笔直，像位英国绅士。他带我们去见总经理。

总经理不像总经理，瘦高身材，戴一副眼镜，像斯文的文化人。他介绍道，这家歌厅的特点是怀旧，来这里的顾客都是一些有文化品位的人，他们喜欢听听经典名曲。

我吹了一首《人鬼情未了》的曲子给总经理，曲子未终，总经理就给我做“OK”的手势。

“不错，很好！没问题！”

总经理拍拍我的肩膀，让领班把我带到化妆间去。

“紧张吗？”冉冬阳悄悄对我说，“我和妈妈就坐在那边等你。”

我点点头。跟着领班来到化妆间，只是用定型摩丝把头发梳了梳，我的全部行头不过是一件白色的短袖衬衫和一条黑色的领带。换上衬衫，打上领带，就坐在那里等着上台。

舞台监督来催我上台了。我听见主持人正在介绍我：

“下面要为我们演奏的是吴缅小朋友，他今年只有12岁。他今天的义演是为帮助一位家庭困难的同学筹集学费。请听——《人鬼情未了》。”

舞台上的灯光暗了下去。我非常投入地吹奏着这支回肠荡气的曲子。一曲终后，似乎过了好久才听见有掌声响起，我向观众深深地鞠了一躬。当我抬起头来，我看见冉冬阳和她的妈妈在拼命地鼓掌，我还看见妈妈、傅教授，还有他们的几位朋友都在拼命地鼓掌。

我在吹《人鬼情未了》

掌声经久不息。

主持人上台来了，他手上拿着一张百元大钞和一张纸条，问我会不会吹奏《爱情故事》，我点点头。

“宏展公司的张先生捐资100元，他点奏的曲子是《爱情故事》。”

这首曲子刚完，主持人手上已有了几张百元大钞。

“下面捐资的是：广播电台‘爱心热线’著名主持人李蕾女士、大学教授傅先生、出版社的秦一歌女士、画家蒋天雄先生、作家咏秋女士，他们点奏的曲子是《回家》。”

《回家》是萨克斯的经典名曲，也是我吹得最好的曲子。点这首曲子的人几乎都是我认识的人，李蕾是冉冬阳的妈妈，秦一歌是我的妈妈，作家咏秋是位儿童文学作家，是妈妈的朋友，画家蒋天雄大概是傅教授的朋友吧？

捐资的人越来越多，气氛越来越热烈，有人点了《友谊地久天长》。这支曲子可以跳优美的华尔兹，人们成双成对，翩翩起舞，有的旋转到我的身边来，向我点头微笑。妈妈和傅教授也旋转到我身边来了……

演出结束后，我和冉冬阳的妈妈来到总经理办公室。

“小伙子，祝贺你！”总经理拍拍我的肩膀，“演出很成功！”

总经理双手递给我一个信封："这是今晚收到的捐资1700元，我自己再捐100元。"

总经理从皮夹里掏出100元来，我连声说着"谢谢"，收下了这1800元钱。

我对总经理说，我的同学中，还有会弹钢琴、会拉手风琴、会唱歌、会跳舞的，可不可以让他们也来试试?

总经理同意了，他让我明天下午两点，把他们都带来。

为了一个共同的目标

8月7日　星期一　阴间多云

昨晚和冉冬阳分手时，我们就商量好了，她负责联络女生，我负责联络男生。

中午，和冉冬阳通了电话，该通知的人都通知到了：拉手风琴的鲁肥肥，弹钢琴的莫欣儿，跳舞的沙丽，唱歌的小魔女刘杨惠子。他们听说我和冉冬阳昨天一个晚上就为宋立春拉到1800元的赞助，一个个欢欣鼓舞，摩拳擦掌，恨不得马上就到那家歌厅去。

总经理还是在他办公室里接见我们。我向他介绍说，鲁肥肥是拉手风琴的，莫欣儿是弹钢琴的，沙丽是跳舞的，小魔女是唱歌的，他们都已经取得了业余考级的最高级。

总经理的脸上没有任何表情，说了声“你们跟我来”，就径直朝舞台走去。

现在是下午，歌厅里还没有顾客，舞台也是空空的，只有一架台式钢琴放在那里。

“一个一个地来，把你们的才艺都亮给我看看。”

鲁肥肥先上，拉了一曲《土耳其进行曲》；接下来是莫欣儿，弹奏了一支难度很大的奏鸣曲；沙丽在鲁肥肥的手风琴伴奏下，跳了个十分专业的西班牙斗牛舞；小魔女问总经理，想听中文歌曲还是英文歌曲？

总经理饶有兴趣地问：“你都会？”

“Yes！”

“好吧，先来一首英文歌曲，再来一首中文歌曲。”

小魔女先唱了电影《音乐之声》的《哆唻咪》，一边唱一边还模仿电影里的动作和表情。她惟妙惟肖的模仿，把不苟言笑的总经理也逗笑了。

“不错，不错！”总经理十分满意，“这样的水平，真令人吃惊。现在的孩子真是不得了！”

我们去的人中，只有冉冬阳没有准备节目。因为总经理认识冉冬阳的妈妈，所以他特别地注意冉冬阳。

“你表演什么呢？”

“我……不会。”

小魔女说：“她演讲挺棒的。”

总经理问：“你会主持吗？”

“没问题，她最拿手的就是主持。”我怕冉冬阳谦虚，抢着说道，“她唱歌也挺棒的，她唱低声部。”

“低声部？”总经理眼睛一亮，“现在无伴奏童声合唱倒是蛮流行的。”

“我们的拿手好戏！”我把我们隆重推出，“就我们几个，不要伴奏，马上就可以唱给你听。”

我们小声地商量了一下，分了声部，然后站成一排，唱了舒伯特的《小鳟鱼》，又唱了《同一首歌》。

“太妙了！太妙了！”

总经理激动起来：“我要为你们搞一次专场义演，要搞得正儿八经。你们虽然还是儿童，但我相信，你们的演出绝不会比成人差。”

总经理的这番话，使我们备受鼓舞，群情激奋。经过一番策划，结果演出定在下个周六，因为周末人多。这几天先贴出海报，多造声势。我们呢，加紧排练，还要再去联络几个合唱团的同学来参加无伴奏合唱。

从歌厅里出来，外面的阳光是那么灿烂。我们忘乎其形，男生女生手拉手。这时候，我们是为一个共同的目标而努力奋斗的战友。

富翁的儿子

8月4日　星期三　阴转晴

到了今天，除了宋立春，原来小学班上几乎所有的同学都知道为了给宋立春筹集学费，我们要在一家歌厅举办一场义演。

富翁的儿子石磊，刚从加拿大度假回来，就找上门来了，他说话还是那么大大咧咧的。

“哥们儿，真不够意思，这么大的事儿，怎么就不通知我一声呢？”

“你在哪儿呀？是美国还是英国？我怎么通知你？”

“你说得也是。”石磊俨然一副世界公民的样子，“满世界瞎跑，经常我自己都不知道自己在哪儿。说吧，哥们儿，需要我做些什么呢？”

我说：“你会什么呀？是会乐器还是会唱歌？”

石磊一样乐器不会，唱歌五音不全，真不知道派他做什么。

“用得着我的地方多着呢！”石磊拍着他的胸脯子，“比如说这几天你们排练的场地，就可以到我们家的别墅去，在那里不会受到任何干扰。”

这主意还真的有用。我正在为排练的场地发愁。昨天我们是到莫欣儿家去排练的，没练一会儿，物业管理人员就找上门来了，说噪声太大。结果我们屏声敛气，大家心里都不痛快。

石磊真是我们的大救星。我马上给冉冬阳打电话，让她通知参加演出的同学，今天下午两点集合，去石磊家的别墅排练。

下午两点，所有参加排练的人都准时来到时代广场附近的一个停车场，我们将乘坐石磊爸爸公司里的一辆大客车，去石磊家的别墅。

罗老师带着她的男朋友胡博士也来了。我们几个男生都见过胡博士，也私下议论过了。总而言之，我们几个男生都觉得罗老师的男朋友不应该是胡博士那样的。究竟是什么样的呢，我们也说不清楚。罗老师在我们的心目中是太完美了，仙女似的，谁能做仙女的男朋友？我也听冉冬阳讲过，她们女生对胡博士也不以为然，她们崇拜的偶像

是教过我们的小学数学老师舒昂，认为他跟罗老师才是天设地造的一双金童玉女。

石磊还没见过胡博士。见胡博士跟罗老师上了车，然后又坐在她的身边，石磊就有些愤愤不平了，“噌”地一下站起来。

“他是谁？”

我把他拉来坐下，然后在他耳边说，他是罗老师的男朋友。

石磊又“噌”地站起来，“有没有搞错哇？”

我又把他拉来坐下：“千真万确。不过，你别小看人家，人家是清华大学的博士哦！”

石磊还是一副痛心疾首的样子。不过，很快这事儿就过去了，他的眼睛像扫描仪，在车厢里扫来扫去。他的目光扫到了梅小雅。

“这妞有点面熟，好像在哪里见过？”

我笑起来：“你忘了，梅小雅，六年级时转学走了。”

“真是女大十八变，越变越好看。”石磊坏笑坏笑的，“我记得她以前瘦不啦唧的，没有这么胖。”

石磊的目光又扫到了姚诗琪，就像猫捉到了老鼠。

“咦，这妞是从哪儿冒出来的？我肯定没见过。”

我说：“我的表妹姚诗琪，拉小提琴的，她要跟莫欣儿合奏一首《梁山伯与祝英台》。”

石磊抬起屁股，伸了脖子，上看下看，左看右看，也只能看个侧面。说真的，姚诗琪的侧面还真是禁得看：脑门儿鼓鼓的，鼻梁挺挺的，睫毛弯弯的，下巴翘翘的。

石磊开始巴结我了："哥们儿，你怎么不早说你有这么一个表妹？"

我马上警告他："别想歪了。"

"难道你还有什么想法？表哥表妹，想演一出《红楼梦》啊？"石磊嬉皮笑脸地凑到我的耳边，"哥们儿不是对冉冬阳有意思吗？"

一个急刹车，石磊蹦起来，自己的牙齿把自己的舌头咬了，流了一点血，我笑他自作自受。

大客车在乡间小路上慢慢地行驶，混合着泥土气息的风吹进车窗，令人神清气爽。石磊指着远处一幢红顶白房子说，那就是他家的别墅。

下了车，穿过一片桃树林，桃树上结满了水蜜桃，同学们都欢呼起来。罗老师要大家抓紧时间排练，我们才把心收回来。

别墅有三层，最下面一层是客厅，大得像个小操场，客厅的一角放着一架台式钢琴，莫欣儿坐上琴凳就弹了一组琶音，音色非常好。

客厅中央是气派堂皇的楼梯，楼梯上铺着纯毛地毯。二楼有一个大书房，一个健身房，一个咖啡厅，三楼就全部是卧房了。

罗老师开始分配排练场地。莫欣儿和姚诗琪在大客厅里练《梁山伯与祝英台》；鲁肥肥和沙丽在健身房练《西班牙斗牛舞》；冉冬阳在书房里练她的主持人台词；我在三楼的一个卧房练萨克斯。剩下的人都到咖啡厅里练合唱去了。

练到下午6点，大伙儿都到大客厅里集中，罗老师检查每一个节目，胡博士也提了许多意见，没想到他在音乐方面还挺在行的，男生女生对他有些刮目相看了。

我们在等汽车回城的时候，下起了大雨。

“我有一个提议。”石磊说，“我们为什么不都住在这里呢？这么大的一所房子，反正空着也空着。”

听说要住在这里，女生都惊呼起来。

“我什么都没带呀！”

“我爸爸妈妈肯定不会同意的。”

罗老师小声地跟胡博士商量了一下，说：“这个地方倒确实是个排练的好地方，大家可以集中起来，不受任何干扰。我们只有两天排练时间，如果每天来每天去的，会耽误不少的时间，我看可以考虑住在这里。我负责跟你们的家里联系。”

“耶！”

男生女生欢呼雀跃。其实，每个人都想住在这里。

罗老师一家一家打完电话后，雨也停了。石磊俨然

以主人自居，忙上忙下，就是没有忙到点子上。

晚饭是我们大伙儿一起做的。别墅后有一大块菜地，茄子、辣椒、豇豆、黄瓜、西红柿都有，现摘现做，我从来没有吃过这么新鲜的蔬菜，平时吃两碗饭，今晚却吃了3碗。

是男孩就有点坏

8月5日　星期四　晴

早饭是胡博士起来做的。他熬了稀粥，煮了鸡蛋，拌了黄瓜，可我们这帮人还是不领情，说他想讨好我们，在罗老师面前挣表现。

小魔女刚咬了一口煮鸡蛋，就叫起来：“鸡蛋煮得这么老，营养都没有了。”

石磊尝了一口拌黄瓜，直叫咸。

还有的说饭煮稀了，有的说饭煮稠

了，真是众口难调。其实罗老师心中明白，我们心中也明白，这是借故表达出我们对胡博士的不认可。只有姚诗琪不知个中缘由，加上她一直想引人注目，这可是一个表现自己的好机会。她把碗重重地往桌上一蹾："你们太过分了！人家这位大哥哥辛辛苦苦地忙了一个早上，没功劳也有苦劳吧？"

真是半路上杀出个程咬金，大伙儿不知所措，我赶紧走过去把姚诗琪拉到一边，低声叫她不要管闲事。

"这怎么叫闲事？"姚诗琪的声音更高了，"这叫道路不平旁人铲。"

还是罗老师及时地解了围。她让大家抓紧时间排练。

从昨天排练的情况看，莫欣儿和姚诗琪的问题最多。倒不是她们的演奏有什么问题。分开看，她们各自的水平都非常高，都考过了业余的最高级别10级，而且《梁山伯与祝英台》都曾作为她们考级的考试曲目。她们的问题是不合作，她们都太要强了。莫欣儿有锋有芒但藏而不露，姚诗琪是锋芒毕露，战争往往由她挑起，莫欣儿却寸步不让，所以她们吵的时候多，练的时候少。冉冬阳和罗老师试图从中调解，但姚诗琪总觉得她们跟莫欣儿关系更近些，说的话都带有偏向。后来，罗老师让胡博士在两个女孩子中间周旋。在心理上，姚诗琪更能接受胡博士一些，她觉得她和胡博士都是外来人，有同病相怜的感觉，所以比较听他的话。到了下午，她们俩弹的这支协奏曲已是相得益彰，珠联璧合。

合作得最好的是鲁肥肥和沙丽。鲁肥肥的脾气本来就出奇的好，只要沙丽不停下来，他就可以不厌其烦地拉，反正他有的是体力和耐力。中午吃饭，有一会儿休息的时间。饭桌上，我们的耳朵里听到的全部是他俩互相吹捧的话。鲁肥肥说，看了沙丽跳的西班牙斗牛舞，他终于找到"热烈奔放"的感觉。沙丽说，她以前跳这支舞，都是上舞蹈课时，跟着伴奏带跳的，她说鲁肥肥的手风琴伴奏，比伴奏带更具有表现力，使她一下子找到了感觉，动作也到位了。好了，两个都找到了感觉，旁若无人。

"咳咳咳！"石磊干咳了几声。他最喜欢惹是生非，"幸好古龙飞没来，不然的话，肯定会发生流血事件。"

他突然提到古龙飞，开始大家没反应过来，后来一想，古龙飞一直是沙丽忠实的崇拜者，就都笑起来。

在这里还有一个游泳池和网球场。下午排练结束后，我们都跳到游泳池里打起水仗来。胡博士也来到游泳池里游泳，他把眼镜放在池边，就一个猛子扎了下去。

我们几个男生坐在池边对胡博士品头论足。

"瘦是瘦，有肌肉。"

“游的还是狗刨沙。”

“什么狗刨沙？这是蝶泳。”

石磊爬过去，把胡博士的眼镜拿过来，见眼镜上的圆圈又深又密，便问道：“你们说，这眼镜有多少度？”

鲁肥肥说：“没有1000度，也有800度。”

石磊一脸坏相：“如果这眼镜不见了，你们说胡博士会怎么样呢？”

我们都心领神会地笑起来。

胡博士游完泳，到池边找眼镜。

石磊给胡博士送去一条浴巾：“听罗老师说，你的网球打得不错，咱俩赛一场，如何？”

胡博士被石磊拉去换了衣服，又被石磊拉到网球场去。

石磊准备发球。

胡博士双手握拍，两眼睁得大大的，紧盯着石磊，准备接球。可是，石磊的球已经发过来了，他仍然还是那个姿势——他看不见球。

石磊再一次发球。他故意做了一个假动作，球并没有发过来，胡博士却去接球，用力地挥舞着球拍，动作十分标准，结果根本就没有球——空对空。

鲁肥肥笑得打嗝，我也笑得直想在地上打滚。

“你们闹够没有？”

没有眼镜，胡博士看不见球

不知什么时候，罗老师出现在网球场上。她让石磊把眼镜还给胡博士，然后让我跟她走。

我跟着罗老师来到桃树林。

罗老师不说话，也不看我，好像很生气。

“罗老师……”我心里发虚。

“你们到底都怎么啦？都跟胡洋过不去？”罗老师快要哭了，“你能不能给我说说，为什么不喜欢他？”

说不上喜欢不喜欢，就是想搞点恶作剧，让胡博士出点洋相，这样心理平衡点。

“吴缅，你能不能告诉我，胡洋哪一点不好？”

仔细想想，胡博士还真的没有哪一点不好，特别是他的大度和宽厚，令我无地自容。

我摇了下头，说："胡哥哥没什么不好，他……很好。"

罗老师扳过我的肩头，离我是这么近，我看见她的眼睫毛尖上有小水珠。

"吴缅，我很爱他。你是我心爱的学生，我希望你能对他友好一些。"

我不敢看罗老师的眼睛，只是用力地点点头。只要她高兴，我会对胡博士友好的。

别墅闹鬼

8月6日　星期五　暴风雨

我去跟石磊和鲁肥肥说，从今天起，不要再跟胡博士过不去。

“哥们儿，怕啦？”

“我怕什么？”我没好气地对石磊说，“这叫爱他没商量。”

结果这一天，谁也没有和胡博士过不去。

排练只剩下今天最后一天了，每个人都紧张而忙碌，只有石磊无所事事，他巴不得有什么故事发生才好。

好闷热啊！没有一丝风，树上的叶子一动不动，空气就像凝固了。

下午，一阵电闪雷鸣，天完全暗了下来，如同黑夜一般。我们都挤在落地窗前，看外面已是漆黑一团。

“在白天怎么会出现黑夜呢？”

石磊套了句歌词：“这叫白天不知夜的黑。”

不知谁骂了句：“这鬼天气！”

“别骂鬼！”石磊故作玄虚，“这房子里还真有鬼，别把鬼骂出来了。”

沙丽的脸都吓白了：“这房子里真的有鬼？”

“骗你是这个。”石磊向沙丽伸出小拇指，“这房子一直空着，我们偶尔来住住。有几个晚上，夜深人静的时候，我们听见有鬼叫的声音，接着，我们就看见在那片果树林里，有个白影子飘来飘去，那是鬼在跳舞。过了一会儿，我们又听见‘夸夸夸’的声音，估计这鬼穿着一双大皮鞋，他上楼来了。我们都把房门关得紧紧的，气都不敢出。‘夸夸夸’，鬼上楼来了，从走廊这头走到走廊那头，又从走廊那头走到走廊这头，‘夸夸夸’，鬼下楼了，不知他消失在什么地方。”

女生们全吓得目瞪口呆。我的心里也有点发憷。鲁肥肥眨巴着眼睛，不知他心里在想什么。胡博士的脸上没有任何表情，我看见他悄悄地握住了罗老师的手。

"我还得告诉你们。"石磊的样子更诡秘了，"这地方以前是坟地，所以一到天气有些特别的时候，那些鬼魂就出来了。"

一想也是，这别墅就孤零零的一座房子，周围都是田地，还真有点恐怖。

我们都盼着雨快点下下来，心想下了雨，也许天会亮开一点。可是到了晚上，雨都没有下下来，天还是那么黑。

我们都不敢走出别墅，外面阴森可怕。罗老师让大家早点回房间休息，明天一早赶回城里，晚上还要演出。

上楼的时候，大伙儿手拉手，脚步很轻，很怕惊动了鬼。

我和胡博士住一个房间，罗老师和冉冬阳住一个房间，就住我们隔壁。我看冉冬阳十分惊恐的样子，就对她说，如果有什么事情，就敲墙壁。

躺在床上，看着白色的窗帘被风一下一下地掀起，睡不着。胡博士也没有睡着。"胡哥哥，你说这世界上到底有没有鬼？"

胡博士翻了个身："如果真的有鬼，我倒想看看鬼是什么样子的。"

我和胡博士就聊起鬼来。聊着聊着，眼皮打起架来。迷迷糊糊地刚要睡着，就听见楼梯上响起很响的脚

步声。

夸！夸！夸！
夸！夸！夸！

我一下子从床上坐起来。

“胡哥哥，你听——”

“鬼真的来啦？”

胡博士动作麻利地戴上眼镜，套上裤子，跳到门边，侧耳倾听。我也跟了过去，竖起耳朵听外面的动静。

夸！夸！夸！
夸！夸！夸！

脚步声已经在走廊上了，同时，我们听到了敲墙壁的声音——罗老师和冉冬阳也听见“鬼”的脚步声了。

“怎么办？”

我手心里全是汗。

胡博士在我耳边说：“我喊一二三，我们就开门冲出去。”

“一二三！”

胡博士猛地打开门，我跟着他冲了出去。

走廊上果然有个白影子，我们还没近他的身，他自己便倒下了。

“哎哟喂，吓死我了！”

鬼说话了，怎么是石磊的声音？

胡博士打开走廊上的灯，倒在地上的正是石磊。他身上裹着一张白床单，脚上穿一双长统大皮靴。只有这样的大皮靴才能走出那样响的脚步声。

我高喊道："捉到鬼了！捉到鬼了！"

房门一个接一个地都开了，男生女生都出来了，罗老师也出来了。

我把石磊从地上揪起来："看吧，就是这个鬼！"

"原来是石磊在装神弄鬼！"

小魔女叫了声"打鬼呀"，就带头打起"鬼"来。女生们温柔的拳头像雨点似的落在石磊的身上。

"饶命！各位小姐手下留情！"

"鬼"嚎叫起来。

"石磊，你玩够没

有？”

罗老师把石磊身上的白床单扯了下来。

“不好意思，不好意思。”石磊双手抱拳，又是打躬，又是作揖，“我本来是想制造一个恐怖的鬼故事，吓吓大家，没想到还有两个比我更胆大的倒把我吓倒了。我是一个鬼，一个胆小鬼。”

石磊的话把我们都逗笑了。

各人回到各人的房间，踏踏实实地一觉睡到大天亮。

歌厅义演

8月7日 星期六 晴

义演是晚上8点开始的。

下午4点，参加义演的同学就已陆续来到“流年歌厅”的化妆间，许多家长也来了。

梅小雅的妈妈来得最早，她提着一个大包，大包里装的是演出服装。今晚，合唱的同学穿的演出服装全是她做的，清一色的白布长袍，这是她熬了几个通宵做出来的。她说以前她家困难的时候，得到过许多好心人的帮助。现在她家的条件好一点了，她也要尽一点微薄的力量，去给那些需要帮助的人。

冉冬阳的妈妈带着电台的录音设备也来了。作为“爱心热线”的节目主持人，她要做现场采播。

石磊的老爸开着白色的宝马来了。

妈妈和傅教授来了。老爸正在筹备他的摄影展，也在百忙中抽出时间来了，还带上了他最得意的一幅摄影作品《康巴的太阳》。

不到8点，歌厅里已坐满了人，还站着不少人。总经理说：真是前所未有，歌厅从来没有来过这么多的人。

晚上8点整，义演准时开始。

大厅里的灯光全暗了下去。一队身穿白袍、手举蜡烛的孩子，唱着《让世界充满爱》，缓缓地走上台来。

轻轻地捧着你的脸，
为你把眼泪擦干……

清纯的童声仿佛来自天外，他们就像从天而降的爱心天使。长及脚踝的白布长袍没有蕾丝，没有花边，不加一点装饰，朴素得纯粹，收到了意想不到的舞台效果。

整个晚上的演出，都穿插着童声合唱的节目。他们唱了舒伯特的《小鳟鱼》、英语歌曲《雪绒花》、前苏联歌曲《一条小路》和《喀秋莎》、中国歌曲《五月的鲜花》和《小白菜》。来“流年歌厅”的人大多是具有

怀旧情结的中年人，用无伴奏的童声合唱来演唱这些经典的中外名曲，既使他们备感亲切，又使他们耳目一新。

我演奏的两首萨克斯名曲《回家》和《爱情故事》，令所有的听众如痴如醉；莫欣儿和姚诗琪的钢琴小提琴协奏曲《梁山伯与祝英台》，更使这些高尚的心灵沉浸在一个美丽的爱情神话中。

活泼俏皮的小魔女刘杨惠子，一曲《音乐之声》的《哆咪咪》，使现场的气氛立即活跃起来。她边舞边唱，甚至走下舞台，把话筒伸给观众，让他们和她一起演唱，赢来了一阵阵的掌声和笑声。

使今晚的演出达到高潮的是鲁肥肥和沙丽合作的《西班牙斗牛舞》。沙丽今晚真是美丽绝伦，光彩照人。她穿一身大红的百褶裙，耳边斜插一朵鲜艳欲滴的红玫瑰，活脱一个具有野性美的西班牙女郎，跟她平时那种典雅、娴静的形象判若两人。

在欢快激越的《西班牙斗牛舞》中，沙丽像一团燃烧的火，以热烈奔放的舞蹈动作，征服了所有的观众。人们长时间地鼓掌，站起身来鼓掌，沙丽出来谢了三次幕，掌声还经久不息。

主持人冉冬阳上台来，报告大家一个好消息：现场收到的捐款已达3580元。她举出一副相框，介绍道：这是著名摄影家吴维先生捐赠的一幅摄影作品《康巴的太阳》。马上就有一位企业家——就是石磊的老爸，出资5000元，买下了这幅作品。

义演晚会在无伴奏的童声合唱《同一首歌》中结束了。

这场义演，收到的捐款为10750元，加上全部的门票收入，再加上我上个周末的义演收入，我们现在一共有14360元，不仅可以资助宋立春一人的学费，还可以多资助几个困难的同学。

沙丽在跳《西班牙斗牛舞》

天才和疯子

8月8日 星期日 晴

一早去老爸那里，路过时代广场，见喷水池那里围了许多人，原来是有4个身穿旗袍的小姐围着水池边走猫步。奇怪的是，这4位小姐穿的都是最华贵的旗袍，却都戴着一只脏得已经发黑的口罩，她们的后面还跟着一个戴着防毒面具的人。

他们究竟在干什么？要向人们传达一种什么意思？

走在路上，我慢慢地悟出来了：他们在进行环保宣传，用脏污的口罩和防毒面具警示大家：我们的城市污染已经到了相当严重的程度。我的心情一下子变得不那么轻松了，以至于老爸见到我就说：“今天好像

很严肃嘛。”

我把刚才在时代广场看见的一幕讲给老爸听了，老爸说这是一种“行为艺术”，就是用一种具体的行动来表达主题、表达思想。

“我有个朋友，好多年没有见到他了，最近听说他在搞行为艺术。”老爸说，“你还记得罗桑叔叔吗？”

我记得有个大胡子罗桑，头发很长，胡子也很长。小时候，我经常扯他的胡子。他是个画家，还去看过他的画展，大人们都叫他“天才罗桑”。现在已经有几年没有见到他了。

老爸说：“前两年，听说罗桑去了长江源头徒步考察，写了一本环保题材的书《生命之水》，还给我寄了一本来。”

老爸从书架上取下一本书来，封面是罗桑叔叔挺立在一个风口上，长发飘飘，长胡子飘飘，他的身后是巍峨的唐古拉山。他的脚下是几个瓶子装的水，从清亮到混浊，这就是他从长江头到长江尾的考察结果。

今天我看见的那个戴防毒面具的人会不会是天才罗桑呢？

我和老爸又来到时代广场，喷水池那里已是人山人海，我和老爸好容易才挤了进去。

“是他，是罗桑！”

尽管戴着防毒面具，老爸还是一眼认出了罗桑，他们毕竟是多年的老朋友。

“嗨，罗桑！”

戴防毒面具的人转向我们这边，一路小跑过来。

“吴维！”

老爸和罗桑拥抱了一下，然后推开他说：“你继续吧，完了我在这里等你！”

这时，我听见有一男一女正在议论罗桑。

男的说：“这罗桑画油画挺棒的，一幅画要卖好几万。现在不画了，整天就干这个。”

女的说：“搞艺术的人都有点疯疯癫癫的。”

男的又说：“可惜了，一个天才画家。”

“天才和疯子仅一线之隔。”

这句话是老爸说的。那男的和女的看了老爸一眼，马上离开了。也许他们以为又遇见了一个疯子。

水池边的人渐渐散去。罗桑他们的表演结束了。

罗桑除去防毒面具，我看见他还是长头发、长胡子，只是已失去了以前的光泽，显得十分干枯，而且已经花白了，脸上也多了几道刀刻般的皱纹，一副饱经风霜的样子。

罗桑和我们去了广场附近的一家啤酒馆。

坐在没有上漆的木桌边，大口地喝着冒泡的啤酒，老爸和罗桑侃侃而谈。罗桑的声音有些沙哑，说到环境污染，他就慷慨激昂，滔滔不绝，啤酒馆的人都在看他，以为来了个疯子。

老爸问罗桑：“你现在不画画了吗？”

“画那些劳什子有什么用！“罗桑把啤酒杯在桌上一蹾，啤酒溅了一桌子，“难道你不认为我现在做的事情很重要吗？”

“当然……”

“艺术家的责任是什么？”罗桑打断老爸的话，跳到木椅上，就像在发表演说，“我们的地球正在被一点一点地毁灭，罪魁祸首就是生活在地球上的人……”

围观的人越来越多，他们以为罗桑在和老爸吵架。老爸把罗桑从椅子上拉了下来，一招手，又让服务员上了一扎啤酒。

“喝酒！喝酒！”

罗桑端起一大杯啤酒，一仰脖子，只听得“咕咚咕咚”响，然后把空杯子倒扣在桌子上。

罗桑戴上防毒面具，跟老爸握手告别。

“保重，罗桑！”

罗桑转身向广场走去。

这时正是正午，烈日当空，地面滚烫，广场上空无一人，只有一个戴着防毒面具的人，在烈日下，孤独地走啊，走啊……

我和老爸一直坐在啤酒馆里看着他。

“吴缅！”老爸突然问我，“你怎么看这个人？”

“我认为他是英雄。”

“说得对，他是英雄！”老爸举起杯，“来，为我们的环保英雄，干杯！”

算命小神仙

8月10日　星期二　雷阵雨

午后，跟鲁肥肥、古龙飞和精豆豆去游泳池游泳，回来的路上，下起了瓢泼大雨。幸好我们几步就跑到了一座立交桥下，才没有被淋成落汤鸡。

在桥下躲雨的人很多，我们看见一个十来岁的小男孩在人群里钻来钻去，时不时地上去跟别人搭几句话，人家有的听他说，有的摇头。

我们都以为他在向别人问路，古龙

飞朝他招手，他欢天喜地地跑过来了。

“几位小哥哥想算命吗？”

“你说什么？”

我们都以为耳朵出了毛病，让他再说一遍。

小神仙在算谁能考上重点中学

“几位小哥哥算命吗？”

“有没有搞错哇？”古龙飞摸摸小男孩的小脸蛋儿，“就你这么个小人儿，还会算命？”

“信则灵，不信则不灵。”

嘿，人小，话说得可不小。

精豆豆在他光头上拍了一下：“喂，你叫什么？”

“小神仙。”

精豆豆又在他的光头上拍了一下。这小男孩面不改色心不跳，一字一句地说道：“因为算得准，人称小神仙。”

“你怎么个算法呢？”

小神仙说：“我是一掐二算三看。”

精豆豆给我们眨了几下眼，然后对那个自称小神仙的男孩说：“你来给我们几个算算，哪个能考上重点中学？哪个不能？”

“这个不难。”小神仙说，“报你们的生庚八字来。”

“什么叫生庚八字？”

小神仙解释道：“就是你们出生的年月日和出生的时辰。”

我们把生庚八字各自写在一张纸上，交给他。

小神仙先看了我的生庚八字，然后眯上眼，两只小手互相地掐来掐去。

“喂喂喂，你在干什么？”

古龙飞朝他吼道。小神仙并不理睬，继续掐。掐了好一阵子，小神仙把眼睛睁开，盯着我看。

“看什么看？”

小神仙不理睬，还是使劲地盯着我看。看够了，说了一句：“这位小哥哥考得上。”

“看你不出，你还真的算得准哦！”

精豆豆有点佩服小神仙了。

我问：“你怎么看出我考得上呢？”

小神仙说：“你印堂发亮，眉宇间充满英气，是块读书的料，你考不上，还有谁能考上呢？”

“你看我能不能考上？”

精豆豆把他猴一样的脸伸到小神仙的眼皮底下。

小神仙说：“你长了一个精灵相，但是一个假精灵，聪明的心思没有放在学习上，怎么考得上重点学校呢？”

精豆豆对小神仙简直是五体投地：“你莫非真的是小神仙下凡？”

“你来给我看看！”

鲁肥肥往小神仙跟前一站，面无表情，一副傻样。

小神仙从头到脚，又从脚到头把鲁肥肥看了一遍，“啧啧啧”地直摇头：“你四肢发达，头脑简单，考不上。”

精豆豆几乎要跳起来，鲁肥肥拉住了他，面无表情地退到一边，让小神仙给古龙飞算。

小神仙拿着古龙飞的生庚八字又掐又算，嘴里叽里咕噜，听不清他在说些什么。然后，又眯着眼看古龙飞，左看右看，看得古龙飞心里发虚。

“说呀，快说呀！”

小神仙说了：“看你的额头生得又低又窄，肯定不是聪明人；再看你贼眉鼠眼，也不像个好人。考不上，考不上。”

古龙飞一把揪住小神仙，恶狠狠地问：“真的考不上？”

“听我小神仙一句话，你真的考不上。”

“如果我考上了，怎么说呢？”

“我把今天要收的一元钱退给你。”

“实话告诉你，我，还有你刚才说的那个四肢发达、头脑简单的人都考上了，你还敢说你是小神仙吗？”

小神仙说：“本来该收你们4元钱，但是我只说对了两个，你们就给我两元钱算了。”

“你还想收钱？”古龙飞又一把揪住小神仙，“你冒充小神仙，骗人钱财！走，跟我们到派出所去！”

“小哥哥，饶了我吧！饶了我吧！”

小神仙吓哭了，他怕我们真的把他送到派出所去。

我让古龙飞放开他，问道："你从哪儿来的？叫什么名字？"

"我叫龙富贵，从大山区来的，我们那地方穷得很。"

"为什么不在家里好好读书，要到城里来当小骗子？"

"我读过3年书，家里太穷了，再也读不起了，我舅爷在城里给人算命，我就来了。"

"你能挣到钱吗？"

"我一般去找那些看起来面善的老太婆算，对她们说一些'儿孙满堂，长命百岁'的话，她们一高兴，就会给点钱。"

"好哇，你还专门骗善良的老太婆！"古龙飞逼问他，"老实说，今天骗了多少钱？"

"一分钱都没骗到。"小神仙哭丧着脸，"我早饭没吃，中饭也没吃。"

这时，雨虽然还没停，但已经小多了，桥下躲雨的人都陆陆续续地走了。

鲁肥肥给我指了指桥边的一家面馆，我们带着小神仙向那家面馆走去。

游了泳，我们的肚子也有点饿了。我们一人要了一碗凉面，给小神仙也要了一碗凉面。小神仙端过那碗凉面，也不把浇在面上的调料拌一拌，几筷子扒进嘴里，也没见他嚼，一碗面就进了他的肚子。

我问他："再来一碗，怎么样？"

小神仙使劲地点头。

鲁肥肥说："给他来一碗牛肉面吧！看他那样子，肯定好久没吃肉了！"

牛肉面要煮，小神仙在一旁看我们几个吃凉面，一边看一边咽口水。

精豆豆说："你这样看着我们，我们怎么吃呀？"

小神仙就走到面馆外面去。

鲁肥肥向我们勾勾手指，我们4个脑袋就凑到了一块儿。

"给罗老师和冉冬阳说说，看看能不能从助学基金里拿出一点钱来，帮帮他。"

古龙飞也说："这小骗子脑瓜蛮灵光的，不读书真是可惜了。"

我们几个商量好了，就叫小神仙进来。这时，一大碗牛肉面也端上来了。

那盛牛肉面的碗比小神仙的脑袋还大，他几乎把脑袋埋了进来，只听一阵"稀里呼噜"喝面条的声音。我说的话，也不知他听见没有。

"你说什么？"

小神仙满头大汗，两眼迷迷瞪瞪地问我。

"你明天一早，和你的舅爷一块儿，还在这桥下等我们，我们有重要的事儿要找你们。”

“你别紧张，是好事儿。”精豆豆说，“不过，你们要是不来，这好事儿就没了。”

这小神仙也不去想这“好事儿”到底是什么事儿?现在他只想再吃一碗面。他说他还没有吃过炸酱面，我们又给他要了一碗炸酱面。

小神仙要读书

8月11日 星期三 晴

我们用两次在“流年歌厅”义演的所有收入，建立了一个助学基金，由罗老师和冉冬阳管理。

昨天从面馆里出来，我和鲁肥肥先去找了冉冬阳，又和冉冬阳一块儿到罗老师家里去，正好胡博士也在那里。商量的结果是从助学金里取出500元来，资助小神仙继续求学。

今天一早，我和鲁肥肥、精豆豆、

古龙飞就来到那座立交桥下，怕小神仙和他的舅爷不来。

我们正东张西望的时候，小神仙不知从什么地方冒出来，后面还跟着一个干瘦的老头儿。这老头儿一看就是装神弄鬼的，身上有一股阴气。

老头儿对我们又点头又哈腰："几位小哥哥，把我们叫到这里来，听说是有什么好事儿？"

"嗨，老头儿！"古龙飞拉着一张脸，"你知不知道让这么小的孩子到城里来赚钱，是犯法的？"

"犯法？犯什么法？"

"犯了我们国家九年义务教育的教育法。"

老头儿用手背去抹脸上的泪："家里实在是太穷了，他妈妈求了我好几次，求我把他带出来混口饭吃。"

老头儿也是没有办法，我们不忍心再训斥他了。

罗老师、胡博士和冉冬阳这时候也都来了。

罗老师一见到小神仙就喜欢上了。

"这孩子，蛮机灵的。"

罗老师摸摸小神仙的头，又拉起他的手，问道："你想不想读书？"

"我想读书。"小神仙的头低了下来，说话的声音也小了下去，"我读过三年级，我的成绩在班上是第一名。"

“那我问你，你相信人的命是算出来的吗？”

小神仙摇头。

“命运是掌握在我们自己手里的，别人怎么算得出来呢？”

古龙飞又开始教训人了。

“他教我的。”小神仙指着他的舅爷，“他教我见什么人说什么话。”

小神仙的话把我们都逗笑了。

罗老师把500元钱交给小神仙的舅爷，说：“这是给他的学费。我还给他买了一个书包，里面装的书，都是他用得着的。”

“谢了！谢了！遇到好心人了！”

老头儿双手颤抖地接过了钱。小神仙似乎对那个装满了书的红色双背带书包更感兴趣，他马上就把它背了起来。罗老师问他重不重？他摇头，他说在家用背篼背石头，比这重多了。

冉冬阳又拿出一个印着米老鼠图案的文具盒来给小神仙。小神仙想把文具盒打开，可他就是打不开。冉冬阳一笑，用手轻轻地按了文具盒边上的一个机关，“啪”的一声，文具盒开了，把小神仙吓了一跳，我们都笑起来。

“奇怪哦！”小神仙把那文具盒看也看不够，宝贝似的，“这么小的一个东西，还有机关！”

在我们和小神仙道别的时候，胡博士又掏出200块钱来给小神仙的舅爷。他说：“我还在读博士学位，没有多大的力量来帮助你们，这200块钱就给你们做路费吧！”

“谢了！谢了！”老头儿仰面朝天，“老天有眼，咋个净遇到好人哦！”

老头儿带着小神仙走了。我们站在桥头目送着他们，小神仙背的红书包在阳光下显得格外耀眼。

我愿为她赴汤蹈火

8月17日 星期四 大雨

下午下大雨，一下就是几个小时，马路上已积起了半尺高的水。

已经到了下班的时间，妈妈还没有回家，一定是被这雨挡在了办公室里。我得给妈妈送伞去。

到了出版大楼，乘电梯上8楼。电梯门刚要关上，听见有人一路叫过来："等一等！请等一等！"

一个女孩子跑进电梯里来，她的手

上也拿着两把伞，看来也是送伞的。

我把电梯门关上，摁了“8”的按钮，又问她要去几楼，她说也是“8”楼。

“我妈妈是少儿社的。”

我说：“我妈妈也是少儿社的。”

女孩子说她妈妈是总编室的，我说我的妈妈是美编室的。

到了少儿社，正对着大门的就是总编室。女孩子推门进去，我看见妈妈也在里面。

我也跟着女孩子进了总编室。

女孩子的妈妈是个又高又胖的女人，头发烫成小卷卷儿，身上穿着大朵花的连衣裙，把她已经够大的体积又放大了不少。她几乎看都没看她女儿一眼，只管用惊羡的目光迎着我，表情十分夸张。

“秦一歌，你真有福气，生了这么一个争气的儿子。”

“你女儿也不错哇，挺可爱的。”

妈妈用手在拧那女孩子被雨水淋湿的头发。

“你快别提她了，她哪能跟你儿子比呀！”女孩子的妈妈尖利的嗓音像一把刀子，“你儿子考多少分，她考多少分？你没操一点心，你儿子就考上了全市最棒的中学；我心都操碎了，抱着几万块钱想让人家学校收，人家到现在还没有个准话儿呢……”

在电梯间里

我和妈妈都十分尴尬。那女孩子低着头，披散下来的头发完全遮住了她的脸，不知道她哭了没有。

“刘燕！”妈妈压低声音在她耳边说，“别当着孩子说这些，这会伤她自尊心的。”

“她还有自尊心吗？”女孩子妈妈的声音更大了，“她如果还有一点自尊心，就不会考这么一点点分数了。”

我真是恨死了这个胖女人。看着那个女孩子还是那样木木地坐着，我真的有一种强烈的冲动：这时候如果这个女孩子要让我为她赴汤蹈火，我也会干的。

雨，还在哗哗地下。我实在不想再听这胖女人说那些伤害她女儿的话了，就和妈妈走出了总编室。那女孩子没有和我们告别，不知是怕我们看见她充满泪水的脸，还是已经被她母亲伤害得无颜见人了。

我再一次回头看了那女孩一眼，她还趴在桌上，瘦削的肩头一耸一耸的，她在抽泣。

我和妈妈进了电梯间，地上有一摊水，那是刚才那个女孩子站的地方。她从大雨中跑进来，手上拿着两把伞，伞在滴水，她是来给她妈妈送伞的，很偶然地跟我一起出现在她妈妈的面前，于是她妈妈拿我跟她做比较，仅仅因为我考上了重点中学，她没有。她的自尊心就在这无聊的攀比中受到了伤害。

我的心里很难过。

“难道你们大人认为我们小孩子就没有自尊心吗？”

妈妈搂住我的肩，说：“其实刘阿姨特别爱她的女

儿。”

“可以这样爱吗？”

妈妈对我的问题无言以答。

我和妈妈各自撑着一把伞，走在雨中。一路上，我们默默无语。

别把小孩子看扁喽

8月14日 星期六 雨转晴

妈妈的一个大学同学带着她的儿子从九寨沟旅游回来，路过我们这座城市，妈妈跟她有好几年没见面了，一定要她和儿子在我们家住一晚再走。

妈妈找出一本很旧的相册，这里面全部是她大学时代的相片。

妈妈翻到一张7寸大的彩色照片："看，这就是你齐敏阿姨。"

照片上的齐敏阿姨长发飘飘，穿着

白色的连衣裙，站在湖边的花丛中微笑，有点像唱甜歌的玉女偶像蔡依林，但似乎比她更清纯。

“怎么样，漂亮吧？”妈妈说，“那时候的齐敏阿姨是我们美院的校花，好多男生追求她啊！唉，她也离婚了，离了好几年了。哦，吴缅，你可别告诉她儿子，到现在她还瞒着她儿子呢。”

“为什么？”我几乎叫起来，“她儿子有知道的权利呀！”

“你齐敏阿姨老是怕伤害到孩子，总以为单亲家庭的孩子在成长中会受到影响。”

我说：“我也是单亲家庭里的孩子，我不是成长得好好的吗？”

“是呀，我这次让齐敏阿姨到我们家来，就是想让她看看，你也是一个父母离异的孩子，你的状态跟别的孩子也没什么不一样。”

下午，我和妈妈在长途汽车站接到了齐敏阿姨和她的儿子。她儿子比我小，读四年级，戴一副账房先生戴的那种圆眼镜，牙齿不太整齐，样子有些滑稽。

齐敏阿姨的儿子叫丁冬。丁冬说他最想吃我们这里的麻辣火锅。晚上，我们去了一家自助火锅厅。妈妈一坐下来，就叫我去取菜。丁冬也要跟着我去取菜，他妈妈马上说，地很滑，让他老老实实地坐在那里。

“没事儿，你让他跟吴缅去吧。”妈妈说，“我和吴缅经常来这儿吃火锅，都是我坐着，他去取菜。”

我带着丁冬把菜一样一样地端过来，荤的素的摆一大桌；然后坐下来，开始烫火锅。

丁冬夹起一块毛肚，问：“这怎么吃呀？”

妈妈说：“放在汤锅里，数7下，就可以吃了。”

丁冬把毛肚放进汤锅里，他妈妈盯着那块毛肚，很认真地从“1”数到“7”，这才放心地看着丁冬把那块毛肚吃进肚里。

“哈……哈，好辣！”

齐敏阿姨赶紧给丁冬灌凉水，而且不让丁冬再吃了。

“我要吃嘛，辣得舒服。”

齐敏阿姨自己几乎没吃什么东西，她把菜烫好了然后夹进丁冬的油碟里。

丁冬抗议了：“吃火锅就要像吴缅哥哥那样，自己烫自己吃才好玩。”

齐敏阿姨虽然不再给丁冬烫菜了，可她的眼睛却从不曾离开过丁冬，而且眼神里总有一种歉疚的东西。

我说：“齐敏阿姨，你太操心了，你真得向我妈妈学习学习。”

齐敏阿姨真的应该向妈妈好好学习学习。看看妈妈，再看看她，看起来她至少比妈妈老10岁，实际上她比妈妈还小半岁。现在的齐敏阿姨和当校花时的齐敏阿

丁冬从火锅里夹起一副眼镜

姨相比，真是判若两人。

丁冬越吃越高兴，吃到最后，眼镜都掉进了锅里。齐敏阿姨一副大祸临头的样子，丁冬却不紧不慢地从锅里夹起那副眼镜，问他妈妈：“你说这眼镜烫多少下可以吃？”

我和妈妈都笑起来，齐敏阿姨也笑起来。

丁冬挺有幽默感，我喜欢有幽默感的人。

晚上，丁冬跟我睡在我的小床上。丁冬很兴奋，根本睡不着。

“吴缅哥哥，怎么你妈妈那么年轻，我妈妈那么老呢？”

我说：“要想你的妈妈年轻呀，你能做到的就是不要让她为你操心，更不要惹她生气。”

隔壁房间里，妈妈和齐敏阿姨也没睡，也在说话，但听不清楚她们在说些什么。

我问丁冬：“你猜猜，你妈妈和我妈妈在说什么？”

丁冬翻了个身，用不容置疑的语气说：“肯定在说我妈妈和爸爸的事儿。”

小兄弟冰雪聪明，有点名堂。

我装作什么都不知道，问：“你爸爸怎么没跟你们一块儿来九寨沟呢？”

“我爸跟我妈早就离婚了，可我妈妈至今还瞒着我，她以为我不知道。”

“你怎么知道的？”

“我读二年级的时候就知道了。我见过我妈的离婚证，是绿色的。我听说结婚证是红色的。”

“你也瞒着你的妈妈？”

“对，我也瞒着她。”丁冬说话简直跟大人一样，“我也怕说起这些事儿她伤心，所以也没跟她挑开说。”

我问他：“你怎么看你爸和你妈离婚这件事？”

“你说呢？”丁冬“狡猾”极了，“吴缅哥哥，你爸和你妈不是也离婚了吗？”

“你怎么知道的？”

“我看出来的。”

“想听哥哥我一句话吗？”我从床上坐起来，“主动去告诉你妈妈，你已经知道她和你爸离婚了。你妈除了这块心病，心情轻松了，人就会年轻起来。”

丁冬也从床上坐起来：“只要能让我妈年轻起来，叫我干什么都成！吴缅哥哥，小弟我听你的！”

丁冬躺下去，立即响起鼾声。这一觉，他睡得挺踏实。

鬼节

8月15日　星期日　阴间多云

这几年，在城市里也兴起了过鬼节。今天是农历的七月十五，七月半过鬼节，无非是人们对家里过世的人寄托哀思的一种形式罢了。

鬼节对外婆来说，是一个十分隆重的节日，舅舅一家、姨妈一家都来了，连老爸也来了，他给外公带来一瓶外公生前最爱喝的五粮液酒。

外婆家的院子里有一棵古老的银杏

树。外公活着的时候，就喜欢在树下放一把竹椅，一张小方桌，在那里喝茶、看报。外公去世后，那把竹椅和那张小方桌仍一直摆在那里，只是在刮风下雨的时候，外婆才会把它们搬进屋里。

吃过晚饭，天已经黑尽了。大人们在树下的小方桌上摆上香炉、鲜花和供品，点上两根红烛，燃上三炷香，老爸在酒杯里倒上五粮液，仪式就开始了。

给外公烧了纸钱，外婆又拿出一套纸衣、纸裤和纸鞋，一边烧一边说：“老头子，过节了，我给你送套新衣服来。眼看着就要立秋了，你要多穿件衣服，不要着凉了，啊！”

奇怪的是，那件白色的纸衣放进火里并没有燃烧起来。当时也没有风呀，这件纸衣却自己飘走了。

我去追纸衣。纸衣飘出了外婆家的院子，飘进小巷。小巷的路灯很暗，今晚，几乎家家户户都在过鬼节，路边香烟缭绕，烛光摇曳，纸衣就像长得有眼睛似的，它会绕过香火，一直向前走。

这条小巷是条死巷子。快到底的时候，纸衣突然在我的视线中消失了，我看见外公迎面向我走来，就穿着像纸衣那样的白色的衣衫。

“外公！”

我喊着向外公跑过去，可是手触到的是又硬又冷的墙壁，难道外公已破墙而过？

回到外婆家，香蜡已燃尽，大家正在分吃供品。外婆挑了一个又大又红的苹果给我，说：“缅儿，快把这供果吃了，让你外公保佑你岁岁平安。”

飘舞的纸衣

我接过苹果，可能表情有些呆呆的。妈妈摸摸我的头：“吴缅，你怎么啦？”

外婆说：“刚才还是好好的，怎么出去了一下，回来就变了个人儿似的。”

“我看见外公了。”

真是语惊四座，除了外婆。

“你外公本来就没有走，他天天都在。”外婆的语气十分平静，“今天早晨，我给他泡了杯茶放在小方桌上，还听见他说：‘我想跟缅儿下盘围棋。’”

姚诗琪“嘻嘻”地笑起来：“我不信，我不信。人都死了，灵魂也没有了，怎么还会说话呢？吴缅，你怎么也迷信起来？”

姚诗琪就是这样一个没心没肺的人。外婆瞪了她一眼，她又赶紧去巴结外婆。

“好好好，我信我信。反正今天是鬼节，见人说人话，见鬼说鬼话。”

外婆更生气了，她让大家都走，说她自己想清静一会儿。

舅舅一家和姨妈一家都走了。我说我想跟外公下盘围棋再走，老爸和妈妈点点头，说他们会等着我。

外婆高兴起来，把两罐云子抱来，黑子放在我面前，白子是外公的，她还新泡了一杯茶，放在白子的旁边。

在我5岁的时候，外公就教我下围棋了。他先是让我16子，再让我8子，再让我4子，最后一子不让。我们基本上是旗鼓相当。但外公总是让我执黑子，先走一步。

黑黑白白地摆了一棋盘，外婆说："缅儿，外公累了，让外公休息了。"

收了棋从屋里走出来，凉风习习，银杏树叶在沙沙作响。这是鬼节的夜晚，一个富有诗意、富有情感的夜晚，亦真亦幻。

该出手时就出手

8月18日　星期三　晴

下个月，石磊就要去加拿大上学。这段时间里，他把自己搞得很忙，不停地请客为自己饯行，一拨又一拨，反反复复地请，到底请了多少次客？请了哪些人？连他自己也搞不清楚。

今天，他又给我打电话了。

“吴缅，今天给哥们儿饯个行，怎么样？”

我说：“我已经给你饯了三次行了，你还没走哇？”

“真的，已经饯了三次啦？”石磊痛下决心，“好，今天是最后一次，你帮我约几个人来。”

我知道，饯行只是一种借口，石磊是想在离别之前，跟大家多聚聚。别看石磊平时一副没心没肺的样子，其实他是侠肝义胆。

约了十几个平时谈得来的男生女生，去了时代广场边新开的那家麦当劳，巨无霸、麦辣鸡腿汉堡、麦辣鸡翅、麦香鱼、奶昔、可乐点了一桌子，付款的时候，我们都坚决不要石磊付，而是凑了份子，算是我们自己为石磊饯了一次行。

石磊兜里的钱没有用出去他是不甘心的。吃完后，他请大家去玩电子游戏。

石磊把他身上所有的钱都掏出来，换成硬币，然后分给大家。

小魔女刘杨惠子拉着冉冬阳要去玩跳舞机，冉冬阳见那里有几个打扮得怪模怪样的大男生，就摇头不去。小魔女却满不在乎地走了过去。

冉冬阳站在那里，不知所措，她从来没有来过电子游戏厅，不知道该怎么玩。

“你跟着我！”我在前面带路，“有我吴缅在，你还怕玩不会？”

我带着冉冬阳，先去玩一种简单的但极有刺激性的游戏“抢救人质”。我投了两块币进去，屏幕上的断垣残壁中，隐藏了几个劫持人质的罪犯。我提起微型冲锋枪，瞄准一个罪犯，“哒哒哒”一梭子子弹出了膛，那个罪犯应声倒下。大柱子后面又闪出一个罪犯，冉冬阳大叫一声：“在那儿！”

我举起枪，又是一梭子子弹射出去，这个罪犯也被我击毙了。其他几个罪犯仓皇逃窜。

冉冬阳从我手中夺过枪，跃跃欲试。

屏幕上出现了一个废弃的汽车场，罪犯藏得更隐秘了，很不容易发现他们。一个罪犯刚从一辆破旧的汽车下面露出头，冉冬阳一梭子扫去，把他击毙在汽车下面。

“怎么样？”

冉冬阳得意地回过头来看我。这时，汽车场里的罪犯都从他们隐藏的地方出来了，我大喊一声：“快打呀！”

冉冬阳转身就是一梭子，几个罪犯全部被击倒了。

冉冬阳喜欢上了这个“抢救人质”的游戏，一连玩了几盘，后面已经排起了队伍，我又带着她去玩了“危险地带”、“冲撞死亡”和“快枪手”。

“啊，太刺激了！”冉冬阳叫道，“再玩下去，我一定会疯掉的。”

看冉冬阳已经会玩了，我就和她分开玩了。我刚沉迷在“太空大战”中，冉冬阳又跑来了。

“吴缅！吴缅！”

女孩子就是事多！我不理她，继续我的“太空大战”。

“吴缅，出事了！”

一听说出事，我不得不从“太空”中回到现实。冉冬阳朝跳舞机那里一指，那里已围了许多人。

原来是小魔女在玩跳舞机的时候，那几个打扮得很酷的大男生一直在边上捣乱，他们提出要和小魔女交朋友，小魔女叫他们“滚开”，他们说小魔女骂了他们，便围住小魔女……

“嘿，干什么！干什么！”

我走过去，一把拉过小魔女，把她挡在身后。

我对那个一边耳朵上戴着一个大耳环的家伙说：“怎么着，咱们到外边找个地方练去？”

那家伙把我从头看到脚，又从脚看到头：“你小子从哪冒出来的？躲一边去，少管闲事儿！”

“这闲事儿呀，咱还真的管定了！”

石磊和精豆豆、古龙飞都往那帮家伙跟前一站，连一向沉着冷静的鲁肥肥也捏紧了拳头，往前凑了凑。

戴耳环的家伙用手指着我们：“就你们这几个，还想打架？”

我挡开他的手：“废话少说，走！”

我带头向游戏厅的门口走去。

“吴缅，别……”

冉冬阳拉住我的衣服，快要哭的样子。我在她耳边小声说：“你快带着女生离开这个地方。”

我知道这附近有一片用围墙围起来的空地，准备盖大楼的，不知为什么，一直没有盖，里面都长起了半人高的野草。

找了块平整的地方，两拨人便摆开了架势。精豆豆还虚张声势地“嗨！嗨”几声，把排骨般的胸脯拍得“啪啪”响。

精豆豆大叫着冲了过去，大耳环憋足了劲，一个直拳，精豆豆矮小灵活，一闪，闪过了。大耳环扑了个空，我们都哈哈地笑起来。精豆豆也笑。

一个头上染了一撮黄毛的家伙对准精豆豆的鼻子就是一拳，鲜红的血从精豆豆的两个鼻孔里喷了出来。我们这边的人见自己人流了血，顿时都绿了眼，一个个成了亡命之徒，冲过去就打。

我和黄毛过了几招，不分胜负，然后扭成一团，滚倒在草地上。黄毛比我高，但他耐力不行，和我翻上翻下几个回合，他的体力渐渐不支，我翻上来，一只手卡住他的脖子，对准他的鼻头也是一拳，这家伙的鼻子也出血了。

黄毛的其他3个兄弟见黄毛被我打出了血，都撇下他们的对手，朝我扑过来。

因为我和黄毛还扭作一团，所以他们没法对我大打出手。就是有几脚踢过来，大多数都踢在了黄毛的身上。

大打出手

结果，我们这边的人和他们那边的人扭成一团，难分难解，所有人的身上都沾了不知是精豆豆的鼻血还是黄毛的鼻血。

在扭打中，我突然感到又有一些人加入进来，还闻到一股刺鼻的清凉油的味道，然后是一阵嚎叫声。

“噢——”

“哇——”

对方几乎完全丧失了战斗力，他们双手捂着眼睛，在地上滚着。

“吴缅，你流血啦？”

冉冬阳惊恐地看着我沾着血迹的脸，泪水从她眼睛里流出来。

“冉冬阳，你别紧张！”精豆豆一边用纸团去堵他的鼻血，一边说，“吴缅的脸上沾的是那黄毛的血。”

小魔女站在那几个捂着眼睛的家伙身边，双手叉腰：“快滚！还想挨揍吗？”

这几个惹是生非的小流氓从地上爬起来，嘴里叫着“咱们后会有期”，狼狈地逃跑了。

原来冉冬阳、小魔女几个女生悄悄地跟在我们后面到了这个地方，看我们打起来了，小魔女到附近的一家药店买了几盒清凉油，分给几个女生。趁我们打成一团，便一拥而上，把清凉油抹在那几个小流氓的眼睛上，叫他们睁不开眼睛。

小魔女得意洋洋地走到我跟前：“吴缅，我们干得怎么样？”

我没好气地说：“今后我们男孩子的事儿，你们女孩子少搀和。”

“哼！”

小魔女朝我恨恨地跺了一下脚。

这一仗虽然打得对方溃败而逃，可我心里却窝囊得很，靠女生抹清凉油打败别人，算什么呀！

最得意的作品

8月20日　星期五　多云间晴

今天老爸的摄影展在位于时代广场东侧的美术馆开幕了，而那本由老爸摄影、傅教授撰文、妈妈设计——凝聚了3个人的心血的摄影集《康巴的太阳》，也在今天出版了。

双喜临门，妈妈今天特别高兴，一大早就去买了一个大花篮，我和妈妈抬着花篮去了美术馆。妈妈是第一个给老爸送花篮的人，老爸接过花篮，把它放在最显眼的位置上——这次影展的主题作品《康巴的太阳》下面，随即将包装精美的画册送到妈妈的手中，妈妈翻开一看，淡紫色的扉页上有老爸龙飞凤舞的笔迹——

献给我儿子的母亲

在展厅里转了一圈，有许多作品，比如在野人海拍的《沉没的水妖》，在塔公草原拍的一组藏族儿童，拍扎西的《康巴汉子》，拍帅哥的《军魂》，等等。我仿佛又回到了在康巴的日子，是那么的熟悉和亲切。就连那一个个树皮画框，也备感亲切，因为那是我和老爸开着一辆破车，千辛万苦，从老远老远的地方运回来，在7楼的顶层上，顶着烈日，一条一条锯出来，再一块一块地钉起来的。我的手打起了血泡，后来起了一层厚厚的茧。因为这些特别的树皮画框，使老爸的这次影展独具一格。

到上午10点钟，来参观的人多起来，一群电视台、报纸、杂志社的记者围着老爸“咔嚓咔嚓”地拍，还不停地提问，老爸都有些应付不过来了。

我在一旁看着老爸偷着乐，我老觉得他今天有点傻，但傻在哪儿，我又说不出来。看着看着，我看出来了，原来傻就傻在老爸的这身衣服上。平时见惯了老爸披长发、穿套头衫、牛仔裤、大头鞋，今天猛一见他穿黑色的燕尾服，雪白的衬衫，锃亮的尖皮鞋，总觉得这身衣服不是他的，像是偷别人的。

突然，我看见老爸从照相机、摄像机的重围中突围出来，直奔展厅的入口处。

原来是帅哥来了。他的身边是小鸟

穿着燕尾服的老爸，样子有点傻

依人般的白莉小姐。帅哥今天没有穿军装，黑色的T恤配一条洗得发白的牛仔裤，木村式的发型衬着一张被高原紫外线晒得黑得发亮的脸，比那些扮“酷”的人又多了几分“硬”气，在人群中显得特别有“型”。

老爸和帅哥来了个热烈拥抱，白莉小姐给老爸献上一束鲜花，记者们呼啦啦地又围了过来。

老爸拉着帅哥向记者们介绍道：“这是汽车兵刘帅，他可是川藏线上赫赫有名的人物，凡是在川藏线上开车的人，没有不认识刘帅的。”

“嘿，打住打住！”

帅哥十分难为情的样子，向老爸做“暂停”的手势。老爸正说到兴头上，丢下帅哥把记者们带到那幅他最珍爱的作品《军魂》前，又讲起了帅哥把8辆军车开过险口的故事……

看记者们都听老爸讲故事去了，我朝帅哥奔去。

“帅哥！”

我纵身一跃，架在帅哥的身上。帅哥抱着我转了几个圈，才把我放在地上。

见到帅哥就有说不完的话，白莉小姐一直在旁边笑眯眯地看着我们。有帅哥这样的男朋友，白莉小姐的脸上写满了幸福的感觉。

我指着白莉小姐，问帅哥：“我帮你送了那么多次花，你怎么谢我？”

“还是让我来谢你吧！”白莉小姐抢着说，“是肯德基还是麦当劳？”

我们约好，看完影展后，中午去美术馆附近的麦当劳。帅哥和白莉小姐手拉手地看老爸的作品去了。我来到老爸的身边，他刚对付完一拨记者。我看他满头是汗，都是被那燕尾服害的。我递给老爸一包纸巾让他擦擦汗，又递给他一瓶矿泉水，老爸喝光了矿泉水，心满意足地说句“有个儿子真不错”。

不停地有人过来和老爸握手，向他说几句祝贺的话。还有不少的人要求同老爸合影。老爸的笑容十分迷人，像个道具似的跟许多人合了影。后来，他拉着一位他熟悉的记者朋友，又拉着我，来到那幅巨大的《康巴的太阳》前，让那位记者为我们父子俩拍了张合影。

我问老爸，《康巴的太阳》是不是他最得意的作品？

“不，不是。”老爸用力地拥着我，“我最得意的作品是你——我的儿子！”

离别的日子

8月22日　星期日　阴雨绵绵

今天是个离别的日子。石磊真的要走了，我们几个平时跟他谈得来的同学和罗老师到机场去送石磊。

石磊仍然是一副吊儿郎当、满不在乎的样子，跟精豆豆、古龙飞打打闹闹，拿鲁肥肥开涮，和小魔女耍嘴皮子。临到要安检了，石磊才真的意识到要和我们分别了。他用十分夸张的动作，和我们几个男生紧紧拥抱，当然，他没有和来送他的女生们拥抱，也许他下次从加拿大回来，按国际惯例，是可以和女生们拥抱的。不过，当他和罗老师告别时，他还是张开手臂，故作潇洒地问："可以吗？"

没想到罗老师真的抱住了石磊。石磊一下子动了真情，他紧紧地拥抱着罗老师，嬉皮笑脸的表情荡然无存。他闭上双眼，用力地咬着嘴唇，看得出来，他在竭力地忍住快要流出来的眼泪。我从来没见过这小子这副模样，想笑又笑不出来。

过了安检，石磊再一次和我们挥手告别。这一次，他小子再也稳不起了，泪水断了线似的往下落。

"再见，石磊！"

石磊用手背抹了把眼泪，转身大步离去。他没有再回一次头。

石磊彻底地消失在我们模糊的视线里。精豆豆叹了一口气，摇头晃脑地说："同窗6年，就这样天各一方了……"

精豆豆的话使我们每个人的心中，又添了几分伤感。

上了回城的民航班车。雨，还在淅淅沥沥地下，雨珠从车窗上滚落下来，就像离别的泪痕。一路上，大家默默无语。

车开到时代广场，大家下了车，默默地分手。罗老师叫住我："吴缅，你能陪我走走吗？"

我和罗老师共打一把雨伞，罗老师一手搂着我的肩，一手打着雨伞。我们走进一条美丽的街道，街两旁的梧桐树撑起宽大的绿阴，给这条街搭起了一座天然的绿色长廊。这是我最喜欢的一条街，罗老师就住在这条街上。

我们默默地走着，只听见雨珠打在伞上的"嗒嗒"声。我真希望就这么和罗老师一直走下去。可是，已经到罗老师的家门口了。

"吴缅，你马上就上中学了，我想送你一件礼物。"

罗老师说着，从挎包里摸出一个长方形的纸盒子给我。我想打开看看是什么礼物，罗老师却要我回家后再看。

我抬起头来，看着罗老师。我从来没有这么近地看过罗老师，她的眼睛真美，我无力用语言来描写这双眼睛，但我相信这是世界上最美的一双眼睛。

"吴缅，你以后会来看我吗？"

我没有说话，只是用力地点了点头。在我还没回过神来的时候，罗老师已闪电般地在我的脸上吻了一下。

我几乎是捂着那边被罗老师吻过的脸回到家里的。一照镜子，左边的脸上有一弯粉红的唇印。

迫不及待地打开那个盒子，里面是一个精致的小相框，相框里镶着我读一年级时和罗老师的一张合影：罗老师穿着雪白的连衣裙坐在草地上，撒开的裙裾像一朵盛开的雪莲花，我就坐在这朵雪莲花上。

我仍然把这个相框放进盒子里，藏进一个抽屉里锁起来，同时，这张对我来说无比珍贵的照片也藏进了我的心里。

我坐在罗老师的裙子上

老爸的胡杨树

8月25日　星期三　晴

老爸的影展很成功。影展刚一结束，老爸又要到大沙漠里去拍一种树——胡杨树。

有一家企业赞助了老爸一辆三菱越野车。昨天，我几乎一天都泡在超市里，照着妈妈列的采购单，一样一样地采购：矿泉水、方便面、消毒湿巾、创可贴、感冒药、痢特灵、手电筒、毛巾等等一系列，几乎把三菱车的后备厢都装满了。我知道，要深入到沙漠腹地的旅行者是不能没有压缩饼干的，我又骑车到市郊的“旅游专卖店”买了许多压缩饼干。

昨晚，我就住老爸那儿，因为今天一早他就要出发，我坚持要为他送行。

老爸兴奋得几乎一夜未睡，他说去大沙漠拍胡杨林是他一生的梦想。

我问：“胡杨到底是一种什么样的树？居然有这么大的魅力？”

老爸停止捣鼓他的“长枪短炮”，一脸的憧憬之情：“胡杨是一种神奇的树，树上长着几种不同形状的叶，下面是柳树的叶子，上面却长着杨树的叶子，中间还有一种叶子，既像杨树叶，又像柳树叶……不过，最令我神往的是胡杨树的精神：一千年不死，死了一千年不倒，倒了一千年不朽。所以胡杨树是沙漠中的英雄树！”

老爸如此深切地迷恋胡杨树，可见这次的沙漠之行对他来说有着怎样的意义。

一大早起来送老爸上路。像往日一样，老爸拍拍我的肩膀，说了声“照顾好你妈妈”便上了车。

“老爸！”

我从来没有像现在这样依恋过老爸，我趴在车门上，问道：“你会去多久？”

“也许两个月，也许三个月……”

老爸握住我的手，非常用力地。

“儿子，本来我希望能陪你去一中报到，我还应该……唉，老爸欠你的实在太多……”

“不，老爸！”

我好像有许多的话对老爸说，但这时候，却一句话也说不出来。

老爸发动了汽车，我退在一旁，车驶上了大道。

前方的天空，太阳虽然还没有升起，却已经是朝霞满天。

老爸，一路走好！

999颗幸运星

8月27日 星期五 阴间多云

冉冬阳来了，她说就要开学了，来看看“贝多芬”和“梦露”。

猫和狗都是最通人性的动物，虽然它们只跟冉冬阳相处过几天，可她还没进门，它们就听出了她的脚步声，跑到门口来迎接她了。

冉冬阳提着一大包东西，我以为她给我送什么好吃的来了。

“想得倒美！这里面的东西呀，都

是送给‘贝多芬’和‘梦露’的。”

我把包里的东西一样一样地拿出来，有猫罐头、狗罐头，猫玩的花皮球，狗玩的塑料骨头，还有两件用金丝绒做的小背心。

“红色的是‘梦露’的，蓝色的是‘贝多芬’的。”

冉冬阳一手抱了“梦露”，一手抱了“贝多芬”，把它们放在这堆东西中间。

“真的没有一样东西是送给我的。”我大失所望，“冉冬阳，你真不够意思，‘梦露’和‘贝多芬’才跟你处了几天呀，你就送它俩这么多东西。我跟你同学6年，你算算6年是多少天，你就没有一样东西送给我做纪念？”

冉冬阳只笑不说话。她拿起那两件小背心，故意把话题岔开。

“来，帮帮忙，我来给它们穿上试试。”

“别，别！”我忙阻止道，“它们已经有好几天没有洗澡了，身上脏得很。”

“我来给它们洗。”

冉冬阳把“梦露”和“贝多芬”带到卫生间，我也跟了去。

“梦露”和“贝多芬”很听冉冬阳的话，她让它们趴在盆子里，它们就乖乖地趴在盆子里。

我用喷水头把“梦露”和“贝多芬”的身上浇湿，冉冬阳先在“梦露”的身上抹上沐浴露，然后轻轻地揉搓着。“梦露”十分舒坦的样子，闭了眼享受着。

“汪！汪！汪！”

在一旁的“贝多芬”愤怒了，它冲冉冬阳大叫着。冉冬阳忙对我说：“你快给‘贝多芬’洗呀！”

我正准备给“贝多芬”抹沐浴露，“贝多芬”一回头，甩了我一脸的水。

“冉冬阳，‘贝多芬’不要我洗，要你给它洗！”

冉冬阳让我去给“梦露”冲水。她刚把沐浴露抹在“贝多芬”的身上，“贝多芬”也闭了眼，舒舒坦坦地享受着。

刚把“贝多芬”安抚住，“梦露”又开始生事了。它睁开眼睛，发现是我在为它浇水，“喵”地叫了一声，一甩身子，甩了我一身的水。

这两个小家伙争宠，都拿我出气。冉冬阳却开心死了。

“我不管了，以后就你来给它们洗澡吧！”

我真的不管了，走出卫生间去换衣服。也不知冉冬阳是怎么对付这两个争风吃醋的家伙的，只听见她一会儿给它们唱歌，一会儿对它们说话，反正比对我还好。我心里有点酸酸的，不知道是不是也在吃那两个小家伙的醋?

冉冬阳把我使唤来使唤去，一会儿叫我去调水温，一会儿又叫我去找大浴巾。

澡终于洗完了，冉冬阳用大浴巾包裹着“梦露”和“贝多芬”从卫生间里出来，把它们放在沙发上。准备用吹风机吹干它们毛上的水。

“你先给谁吹呢？”

这两个家伙都不是省油的灯。我在一旁幸灾乐祸，等着看热闹。

“我有的是办法。”

冉冬阳把“梦露”和“贝多芬”并排在一起，吹风机的风均匀地吹在它俩的身上，不偏不倚。

干干净净的“梦露”，干干净净的“贝多芬”，它们的身上散发着沐浴露淡淡的清香。

冉冬阳给“贝多芬”穿上蓝色的小背心，又给“梦露”穿上红色的小背心，不大不小，正合适。

“哇，真的很漂亮！”

“贝多芬”看着穿了衣服的“梦露”，“梦露”看着穿了衣服的“贝多芬”，它们突然变得陌生起来，好像不认识似的。

冉冬阳觉得好玩极了，又把“贝多芬”和“梦露”抱到穿衣镜前。它们看着镜子里穿了衣服的自己，也好像不认识似的，对着镜子大叫起来。

不知不觉的，已经到了傍晚时分。

冉冬阳要走了。正当我为她开门的时候，她突然像变魔术般地变出一个盒子来。

“等我走了，你再打开看！”

冉冬阳一闪身出了门，我关上门，迫不及待地打开那个盒子，里面是一个精致漂亮的玻璃瓶，玻璃瓶里装满了五颜六色的闪光的小星星。

我打开瓶盖，一张粉红色的小纸条，藏在瓶盖里。

吴缅：

我用一个暑假的时间，为你折了999颗幸运星。

999，象征着“永远永远”，愿我的祝福，永远永远伴随着你。

——冉冬阳

我冲到窗前，冉冬阳已走远了，夕阳把她身后的影子，拉得很长很长。

各奔前程

8月28日　星期六　晴

明天，是全市中学统一开学的日子。

小学班上的许多同学都在十几天前就接到了各个中学的录取通知书，只有精豆豆，他给我们讲他读的学校是一所省级重点中学，我们问他是哪所中学？他不肯说。问他接到录取通知书没有？他又摇头。我们都替他着急，可是精豆豆不着急，精爸精妈也不着急，一家人开开心心的，日子过得有滋有味。

直到今天，精豆豆才接到这所学校的录取通知书，这肯定是一件值得庆贺的天大喜事。精爸精妈一声令下：请客！精豆豆立马响应，把他的3个铁杆哥们儿古龙飞、鲁肥肥和我火速地叫到他家去。

吃的喝的摆了一大桌子，完全是庆功宴的规格，精豆豆一家三口欢天喜地，我们3个也喜笑颜开。杯碰了无数次，吃得也差不多了，我们才问清楚精豆豆读的学校不在本市，而在一个小县城里，全封闭式的寄宿学校。

看我们几个目瞪口呆的样子，精妈赶紧给我们强调："这是省级重点中学哦！"

精爸也补充："别看地方是在小县城的，学生大多数都是从大城市去的哦。"

不管是什么样的学校，精豆豆毕竟要离开我们，孤身一人到外地去读书了。想到同学6年，明天就要各奔东西，心里隐隐有些难受，大家的话也少了。

精豆豆及时地挑起了大家都十分关注的话题。

"吴缅，我们小学班上有几个人考起了一中？"

我扳着指头："我、古龙飞、宋立春，乔丹虽然没考上，但他爸通了关系，也进去了。"

"冉冬阳呢？"

我发现他们几个都一起看着我，脸上有怪怪的笑。

我装傻，也看着他们。

“问你呢！”

“凭什么问我？”我恼羞成怒，“你们几个谁不知道冉冬阳和莫欣儿都考上了外语学校？”

几个坏小子嘿嘿地笑起来。我马上以牙还牙：“古龙飞，沙丽读哪个学校？”

对沙丽的喜欢，古龙飞从来不会遮遮掩掩，他大大方方地回答道：“沙丽和小魔女都属于艺术特长生，所以她俩读了艺中。”

鲁肥肥突然问起小学班上的一个重要人物：“你们知道郝佳读哪个学校？”

精豆豆意味深长地拍着鲁肥肥宽厚的肩：“原来胖哥对郝佳有想法。”

“去你的！”鲁肥肥一把推开精豆豆，“我对谁有想法，都不敢对她有想法。”

“为什么？”

鲁肥肥直晃脑袋：“一个只有优点、没有缺点的人，我怀疑是不是一个真实的人。”

我给鲁肥肥下套：“我表妹姚诗琪是个什么样的人？”

鲁肥肥的眼睛朝上翻翻，然后十分认真地回答道：“姚诗琪就是个十分真实的人，她身上的优点很突出，缺点也很突出……”

鲁肥肥突然打住，已意识到他在钻我下的套，他那脑袋瓜真够用的。

精豆豆对鲁肥肥纠缠不休：“小学班上的女生，你到底对谁有想法？”

古龙飞斜了我一眼，阴阳怪气地说：“我知道，但是我不说。”

精豆豆的眼珠子骨碌碌一转：“我也明白了只可意会，不可言传。”

只要是有关女生的话题，时间总是过得很快。已快到10点了，我们不得不从精豆豆家告辞出来。

初秋的夜空清朗如洗，月色幽幽。我们你一句我一句地背诵起小学课文《月光曲》和《荷塘月色》里的句子来。

站在小巷口那棵古老的银杏树下，我们4个从小一起长大的兄弟、同学、铁哥们儿，4只手紧紧地重叠在一起。

月亮在天上看着我们。

明天，我们各奔前程。

图书在版编目（CIP）数据

男生日记：新版/杨红樱著. -北京：作家出版社，2009.6（2015.3重印）
ISBN 978-7-5063-4721-1
Ⅰ. 男… Ⅱ. 杨… Ⅲ. 儿童文学-长篇小说-中国-当代 Ⅳ. I287.45
中国版本图书馆CIP数据核字（2009）第059154号

男生日记（新版）

作者：杨红樱
责任编辑：王淑丽
封面设计：樱桃蛋蛋工作室
插图：仔 仔
美术编辑：张晓光
出版发行：作家出版社
社址：北京农展馆南里10号 **邮码：**100125
电话传真：86-10-65930756（出版发行部）
86-10-65004079（总编室）
86-10-65015116（邮购部）
E-mail：zuojia@zuojia.net.cn
http：//www.zuojia.net.cn
印刷：北京明月印务有限责任公司
成品尺寸：145×198
字数：150千
印张：9.5 **插页：**3
印数：115001-135000（套装）
版次：2009年6月第1版
印次：2015年3月第11次印刷
ISBN 978-7-5063-4721-1
定价：19.00元